Univers des Lettres Bordas

Sous la direction de Fernand Angué

MOLIERE

GEORGE DANDIN

OU
LE MARI CONFONDU

SUIVI DU
GRAND DIVERTISSEMENT ROYAL DE VERSAILLES

Notices, analyse méthodique de la comédie
« George Dandin », avec notes et questions,
programme du « Divertissement » et extraits
de la Relation de la fête de Versailles

par

Jacques MONFÉRIER

Agrégé des Lettres
Professeur à l'Université de Bordeaux III

Bordas

Buste de Molière
par Houdon

© Bordas, Paris 1968 - 1re édition
© Bordas, Paris 1984 pour la présente édition
I.S.B.N. : 2-04-016053-1;   I.S.S.N. 1142-6543.

LE THÉATRE AU XVIIᵉ SIÈCLE

Origines du théâtre parisien

1402   (décembre) Les Confrères de la Passion (société de bons
bourgeois : tapissiers, merciers, épiciers, notables) sont installés par Charles VI à l'hôpital de la Sainte-Trinité, rue
Saint-Denis. Ils y présentent des mistères, des farces, des
moralités.

1539   Ils transportent leur siège à l'Hôtel de Flandre.

1543   Celui-ci démoli, ils font construire une salle à l'emplacement
de l'hôtel des anciens ducs de Bourgogne (il en reste la Tour
de Jean sans Peur et une inscription au nᵒ 29 de la rue
Étienne-Marcel), tout près de l'ancienne Cour des Miracles.

1548   (17 novembre) Un arrêt du Parlement défend aux Confrères
la représentation des pièces religieuses, leur réservant en
retour « le monopole des représentations dramatiques à
Paris, dans ses faubourgs et dans sa banlieue » (A. Adam);
ce monopole sera renouvelé par Henri IV en 1597.

Les troupes au XVIIᵉ siècle

1. L'**Hôtel de Bourgogne**. — Locataires de la Confrérie, les
« Comédiens français ordinaires du Roi », dirigés par Bellerose après
Valleran le Conte, sont des « artistes expérimentés » mais, vers 1660,
leur équipe a vieilli. Ils reçoivent une pension de 12 000 livres que
leur avait fait donner Richelieu.

2. Fondé en 1629, le **Théâtre du Marais**, qui fit triompher *le Cid*
en 1637, n'a plus, en 1660, « un seul bon acteur ny une seule bonne
actrice », selon Tallemant des Réaux. La troupe cherche le salut
dans les représentations à grand spectacle. Elle ne touche plus aucune
pension.

3. Les **Italiens** sont animés par Tiberio Fiurelli, dit Scaramouche.
Ils improvisent sur un canevas, selon le principe de la *commedia
dell'arte*. S'exprimant en italien, ils sont « obligés de gesticuler [...]
pour contenter les spectateurs », écrit Sébastien Locatelli. Ils reçoivent 16 000 livres de pension générale et des pensions à titre
personnel.

4. La **troupe de Molière** s'installe à Paris en 1658 (voir p. 11);
en 1665, devenue Troupe du Roi, elle reçoit 6 000 livres de
pension. « Tous les acteurs aimaient M. de Molière leur chef
qui joignait à un mérite et à une capacité extraordinaires une honnêteté et une manière obligeante qui les obligea à lui protester qu'ils
voulaient courir sa fortune, et qu'ils ne le quitteraient jamais,
quelque proposition qu'on leur fît et quelque avantage qu'ils pussent
trouver ailleurs » (Préface de Vinot et La Grange pour l'édition des
Œuvres de Molière, 1682).

5. **L'Opéra**, inauguré le 3 mars 1671 au jeu de paume de Laffemas, près de la rue de Seine et de la rue Guénégaud, sera dirigé, à partir de l'année suivante, par Lully.

6. **Autres troupes** plus ou moins éphémères : celle de Dorimond ; les Espagnols ; les danseurs hollandais de la foire Saint-Germain ; les animateurs de marionnettes. Enfin, de dix à quinze troupes circulent en province, selon Chappuzeau.

En **1673** (ordonnance du 23 juin), la troupe du Marais fusionne avec celle de Molière, qui a perdu son chef. Installés à l'hôtel Guénégaud, ces « **comédiens associés** » se vantent d'être les Comédiens du Roi ; cependant, ils ne touchent aucune pension.

En **1680** (18 août), ils fusionnent avec les Grands Comédiens ; ainsi se trouve fondée la **Comédie-Française**. « Il n'y a plus présentement dans Paris que cette seule compagnie de comédiens du Roi entretenus par Sa Majesté. Elle est établie en son hôtel, rue Mazarini [en **1689**, dans une salle toute neuve, rue des Fossés-Saint-Germain, aujourd'hui rue de l'Ancienne-Comédie], et représente tous les jours sans interruption ; ce qui a été une nouveauté utile aux plaisirs de cette superbe ville, dans laquelle, avant la jonction, il n'y avait comédie que trois fois chaque semaine, savoir le mardi, le vendredi et le dimanche, ainsi qu'il s'était toujours pratiqué » (Vinot et La Grange).

Les comédiens : condition morale

Par ordonnance du 16 avril 1641, Louis XIII les a relevés de la déchéance qui les frappait : « Nous voulons que leur exercice, qui peut innocemment divertir nos peuples de diverses occupations mauvaises, ne puisse leur être imputé à blâme, ni préjudice à leur réputation dans le commerce public. »

Cependant, le *Rituel du diocèse de Paris* dit qu'il faut exclure de la communion « ceux qui sont notoirement excommuniés, interdits et manifestement infâmes: savoir les [...] comédiens, les usuriers, les magiciens, les sorciers, les blasphémateurs et autres semblables pécheurs ». La *Discipline des protestants de France* (chap. XIV, art. 28) stipule : « Ne sera loisible aux fidèles d'assister aux comédies et autres jeux joués en public et en particulier, vu que de tout temps cela a été défendu entre chrétiens comme apportant corruption de bonnes mœurs. »

Les comédiens : condition matérielle

Les comédiens gagnent largement leur vie : de 2 500 livres à 6 000 livres par an (à cette époque, un charpentier gagne 1/2 livre par jour) ; ils reçoivent une retraite de 1 000 livres lorsqu'ils abandonnent la scène. La troupe forme une société : chacun touche une part, une moitié ou un quart de part des recettes — déduction faite des 80 livres de frais (un copiste, deux décorateurs, les portiers, les gardes, la receveuse, les ouvreurs, les moucheurs de chandelles) que coûte à peu près chaque représentation. Le chef des Grands Comédiens touche une part et demie. Molière en touche deux, à cause de sa qualité d'auteur (les auteurs ne recevaient pas, comme aujourd'hui, un pourcentage sur les recettes).

Les salles

En 1642, Charles Sorel évoque ainsi l'**Hôtel de Bourgogne :** « Les galeries où l'on se met pour voir nos Comédiens ordinaires me déplaisent pour ce qu'on ne les voit que de côté. Le parterre est fort incommode pour la presse qui s'y trouve de mille marauds mêlés parmi les honnêtes gens, auxquels ils veulent quelquefois faire des affronts [...]. Dans leur plus parfait repos, ils ne cessent de parler, de siffler et de crier, et parce qu'ils n'ont rien payé à l'entrée et qu'ils ne viennent là que faute d'autre occupation, ils ne se soucient guère d'entendre ce que disent les comédiens. » La salle du **Palais Royal,** où l'on joua *George Dandin*, est une grande salle rectangulaire contenant 1 200 places : deux incendies la détruiront, en 1763 et 1781. Dans les trois théâtres, la plupart des spectateurs sont debout, au parterre. Un certain nombre occupent la scène — des hommes seulement —, côté cour et côté jardin [1] : deux balustrades les isolent des comédiens qui se tiennent au centre du plateau. D'autres spectateurs occupent les galeries, les loges. Une buvette offre des limonades, des biscuits, des macarons.

Le prix des places est passé de 9 sous (en 1640) à 15 sous (en 1660) pour le parterre; de 10 sous (en 1609) à 19 sous (en 1632) puis à un demi-louis (en 1660), soit 110 sous (prix indiqué dans *la Critique de l'École des femmes* — sc. 5 — en 1663), pour les galeries, le plateau ou les loges. On saisissait d'ailleurs toute occasion d'élever les prix : pièces « à machines », nouveautés, grands succès. Pour *la Toison d'or* de Corneille (1660), on dut payer un demi-louis au parterre et un louis dans les loges. Les Grands (princes du sang, ducs et pairs), les mousquetaires et les pages du roi entrent au théâtre sans payer. Les pages suscitent parfois du désordre que le Lieutenant de police doit réprimer.

Chassés de l'hôtel Guénégaud en 1687, les Comédiens français s'installeront, le 8 mars 1688, au jeu de paume de l'Étoile, rue des Fossés-Saint-Germain (aujourd'hui, de l'Ancienne-Comédie) où ils resteront jusqu'en 1770. Inaugurée le 18 avril 1689, la nouvelle salle accueillera près de 2 000 spectateurs. Vingt-quatre lustres l'illumineront, mais il n'y aura pas encore de sièges au parterre : ils apparaîtront seulement en 1782, dans la salle que nous nommons l'Odéon.

Annoncées pour 2 heures (affiches rouges pour l'Hôtel de Bourgogne, rouges et noires pour la troupe de Molière), les représentations ne commencent qu'à 4 ou 5 heures, après vêpres.

Il y a un rideau de scène, mais on ne le baisse jamais, à cause des spectateurs assis sur le plateau; des violons annoncent l'entracte.

---

1. Regardons la scène, conseillait Paul Claudel, et projetons-y les initiales de *Jésus-Christ*, nous saurons où est le côté *Jardin* et le côté *Cour*.

L'ÉPOQUE DE MOLIÈRE

Règne de Louis XIII 1610-1643

Jeunesse

1621 Naissance de La Fontaine.

1622 Richelieu nommé cardinal.

1623 Naissance de Pascal (19 juin).
Histoire comique de Francion par Charles Sorel.

1624 *Lettres* de Louis Guez de Balzac.

1625 *Les Bergeries* de Racan.

1626 Naissance de Mme de Sévigné.
Édit de Nantes ordonnant la destruction des châteaux fortifiés.

1627 Naissance de Bossuet.
Fondation de la Compagnie du Saint-Sacrement.
Construction du palais de Delhi.

1628 Mort de Malherbe.
Harvey explique la circulation sanguine.

1630 *Quatre Dialogues* par La Mothe le Vayer.

Études.

1631 Théophraste Renaudot fonde *la Gazette*.
Mareschal écrit que le théâtre est devenu le « divertissement le plus beau des Français ».

1632 *La Leçon d'anatomie* par Rembrandt.

1633 Saint-Cyran devient directeur de conscience à Port-Royal.
Galilée abjure devant l'Inquisition.

1634 *Sophonisbe*, tragédie de Mairet.
Fondation des Filles de la Charité par Vincent de Paul.

1635 *Médée*, tragédie de Corneille.
Fondation de l'Académie française.

1636 Naissance de Boileau.
Fondation de l'Université de Harvard.

Carrière.

1637 *Le Cid*, tragédie de Corneille.
Discours de la méthode par Descartes.
Débuts de la Société des Solitaires de Port-Royal.

Vocation.

1638-1641 Révolte des « va-nu-pieds » en Normandie.

1640 *Horace*, tragédie de Corneille.
Augustinus par Jansenius.

1641 *La Guirlande de Julie*.

1642 *Polyeucte*, tragédie de Corneille.
Olier fonde la congrégation de Saint-Sulpice.
Mort de Richelieu.
Naissance de Newton.
Construction du château de Maisons-Laffitte.

LA VIE DE MOLIÈRE (1622-1673)

1622 (15 janvier). Baptême de Jean (nommé Jean-Baptiste en **1624** quand
un second fils est baptisé Jean) Poquelin à l'église Saint-Eustache
(on ignore la date de naissance, ses parents étaient mariés depuis
huit mois et dix-huit jours). La mère, Marie Cressé, fille d'un
tapissier, sait lire et écrire; elle mourra en **1632**.
Le père, Jean Poquelin, riche marchand tapissier rue Saint-Honoré
(vers le nº **96** d'aujourd'hui), achète à son frère Nicolas, en **1631**,
un office de tapissier ordinaire du roi; en **1633**, il se remarie avec
une autre fille de marchand, mais illettrée, Catherine Fleurette,
qui mourra en **1636**, le laissant veuf avec cinq enfants. « Tous les
jours, les valets de chambre tapissiers aident à faire le lit du Roy.
Ils sont obligés de garder les meubles de campagne pendant leur
quartier et de faire les meubles de Sa Majesté. Ils confectionnent
les meubles usuels, garnitures de lit, rideaux, fauteuils, tabourets,
réparent et entretiennent les meubles quand la Cour marche en
campagne » (document cité par Abel Lefranc [1]).

1633?-1639 Jean-Baptiste chez les Jésuites du Collège de Clermont (aujour-
d'hui lycée Louis-le-Grand) qui compte près de 2 000 externes et
300 pensionnaires; les fils de grands seigneurs sont placés, en classe,
devant une barrière de bois doré qui les sépare des autres élèves
(le prince de Conty [2] y aura sa place, quelques années après la
scolarité de Molière).

1642 Études de droit à Orléans; il obtient sa licence, sans doute contre
« épices » :

> Je sortis du collège et j'en sortis savant
> Puis, venu d'Orléans où je pris mes licences...
>
> *Élomire hypocondre*, sc. 2.

Après avoir été inscrit au Barreau six mois durant, Jean-Baptiste
remplace son père — qui veut l'éloigner des Béjart — comme
tapissier valet de chambre du roi (à qui il a prêté serment dès **1637**)
durant le voyage de celui-ci à Narbonne.
— Peut-être le grand-père Cressé (il signait : Louis *de* Cressé;
pensons à M. Jourdain) conduisit-il l'enfant à l'Hôtel de Bourgogne.
— Peut-être le grand-père Poquelin lui donna-t-il l'occasion
d'écouter et de voir les farceurs enfarinés : Turlupin, Gros-Guillaume,
Gaultier-Garguille (mort en **1634**), Guillot-Gorju (mort en **1648**).
— Peut-être le jeune homme subit-il l'influence du philosophe
épicurien Paul Gassendi, installé à Paris en **1641**, et connut-il les
épicuriens Chapelle, La Mothe le Vayer, Cyrano de Bergerac,
d'Assoucy, qu'il devait fréquenter plus tard.

---

1. *Revue des Cours et Conférences*, 1909. — 2. La terre de Conty (et non
Conti) se trouve en Picardie.

1643 Mort de Louis XIII (13 mai).	**Comédien parisien**

Régence d'Anne d'Autriche 1643-1661
      Victoire de Rocroi (19 mai).
      Condamnation de l'*Augustinus*.	

1644 Torricelli invente le baromètre.	

1645   Naissance de La Bruyère.
      Gassendi professeur au Collège de France.
      Mariage de Julie d'Angennes et de Montauzier.	

1646 Conversion de la famille Pascal au jansénisme.	
1647 Expériences de Pascal sur le vide. Naissance de Bayle et de Denis Papin.	
1648-1653 Fronde.	

1648   Fondation de l'Académie de peinture et de sculpture.
      Traité de Westphalie.
      Les Pèlerins d'Emmaüs par Rembrandt.
	Poquelin devient Molière.

1650 Mort de Descartes.	

1651   *Nicomède*, tragédie de Corneille.
      Le Roman comique par Scarron.
      Naissance de Fénelon.	

1653   Condamnation du Jansénisme.
      Fouquet surintendant des finances.
      Cromwell protecteur d'Angleterre.
      Vincent de Paul fonde l'Hospice général.
	Comédien ambulant au duc d'Épernon,

1654 Nuit de Pascal (23 novembre).	

1655   Conversion du prince de Conty.
      Pascal se retire à Port-Royal-des-Champs.
      Racine entre aux Petites-Écoles de Port-Royal-des-Champs.	

1656 *Le Voyage dans la lune* par Cyrano de Bergerac.	
1656-1657 *Lettres provinciales* par Pascal.	du prince de Conty,
1656-1659 Construction du château de Vaux.	
1657 Naissance de Fontenelle.	

1658   Corneille écrit les *Stances à Marquise* pour la Du Parc (Marquise Thérèse de Gorla, femme du comédien Du Parc).
      Mort de Cromwell.
      Création de l'Académie des sciences.
      Publication des *Œuvres complètes* de Gassendi.
	du gouverneur de Normandie.

1643 (16 juin). Jean-Baptiste signe, avec les Béjart (Joseph, Madeleine et
Geneviève, enfants d'un huissier à la maîtrise des Eaux et Forêts),
l'acte de constitution de l'**Illustre Théâtre;** mais c'est Madeleine
la directrice. Protégée par le baron de Modène, elle a une fille
(ou une sœur : on discute toujours de la question), Armande, âgée
de cinq ans.
Opinion de M. Jasinski (1951) : « Dans l'état actuel des connaissances
la question demeure insoluble. »
Opinion de M. Adam (1956) : « Les érudits du xixe siècle ont fait
l'impossible pour démontrer [...] qu'Armande était bien la sœur
de Madeleine. Mais tous les documents qu'ils ont mis à jour, par
cela seul que ce sont des actes notariés, ne portent témoignage
que de la vérité officielle adoptée par la famille. »
Opinion de M. Jacques Scherer (1958) : « Jeune sœur et non,
semble-t-il, fille de Madeleine. »

1644 (1er janvier). Après quelques représentations en province, débuts
de la troupe au Jeu de paume des Métayers (il appartenait à Nicolas
et Louis Métayer); en juillet, Jean-Baptiste prend le pseudonyme
de **Molière** et devient directeur; en décembre, la troupe s'installe
au jeu de paume de la Croix-Noire, d'une location moins élevée
(quai des Célestins, no 32).

1645 Les affaires devenues franchement mauvaises, Molière est empri-
sonné pour dettes au Châtelet, durant quelques jours.

1645-1658 Molière libéré, l'Illustre Théâtre cherche fortune en province
où il mène une vie moins famélique que celle dont Scarron nous a
laissé le tableau dans *le Roman comique* (1651). La troupe est, en
effet, protégée par le duc d'Épernon, gouverneur de Guyenne,
qui lui donne pour directeur le comédien Charles Dufresne. Principales étapes : Albi, Carcassonne (1647); Nantes (1648); Toulouse,
Narbonne (1649). En 1650, Molière reprend la direction de la
troupe qui séjourne à Agen, **Lyon, Pézenas** (1650) : selon la
légende, Molière se postait chez le perruquier Gely, dans un fau-
teuil que l'on montre encore à Pézenas, pour entendre les conver-
sations et observer les clients; Vienne, Carcassonne (1651);
Grenoble, Lyon, Pézenas (1652). En 1653, la troupe passe sous la
protection du **prince de Conty** (frère du Grand Condé), *nouveau
gouverneur de Guyenne,* puis gouverneur du Languedoc. Mont-
pellier, Lyon (1654); Avignon, Lyon, Pézenas (1655); Narbonne,
Béziers (1656). En 1657, le prince de Conty, converti, retire son
patronage à la troupe qui passe au service du gouverneur de Normandie. Lyon, Dijon, Avignon (1657); Lyon, Grenoble, Rouen
(1658) où Molière rencontre Corneille. Durant ces tournées, le comédien compose des farces dont la plupart sont perdues (certaines
n'étaient qu'un canevas sur lequel brodaient les acteurs). Il présente le personnage de **Mascarille** dans ses premières pièces
connues : *l'Étourdi,* joué à Lyon en 1655, *le Dépit amoureux,* joué
à Béziers en 1656.

1659   *Œdipe*, tragédie de Corneille.
      Traité des Pyrénées.

**Auteur et direc-
teur de théâtre
parisien**

1660   Premières *Satires* de Boileau.
      Mariage de Louis XIV et de Marie-Thérèse.
      Examens et *Discours sur le poème dramatique*
      par Corneille.
      Louis XIV fait brûler *les Provinciales*.
      Dictionnaire des précieuses par Somaize.

au Petit-Bourbon
(1658-1662),

Règne personnel de Louis XIV 1661-1715

1661   Mariage d'Henriette d'Angleterre avec Monsieur
      (mars).
      Fêtes de Vaux en l'honneur du roi (17 août).
      Arrestation de Fouquet (5 septembre).
      Élégie aux nymphes de Vaux par La Fontaine.
      Le Vau commence à construire le château de
      Versailles.

1662   Mort de Pascal (19 août).
      Histoire comique par Cyrano de Bergerac.
      Mémoires de La Rochefoucauld.

au Palais-Royal
(1662-1673).

1663   Premières pensions attribuées aux gens de
      lettres sur les indications de Chapelain.
      Descartes mis à l'index par l'Université de
      Paris; Molière songe à faire une comédie
      sur ce sujet.
      Boileau entre en relations avec Molière.
      Querelle de *l'École des femmes* ; Molière attaqué
      dans sa vie privée.

1664   Le roi apprend à faire des vers.
      Premiers *Contes* de La Fontaine.
      Molière joue *la Thébaïde* de Racine.
      Dans *le Mariage forcé*, créé au Louvre (29 jan-
      vier), le roi danse, costumé en Égyptien.
      Dispersion des religieuses de Port-Royal de
      Paris (août).
      Condamnation de Fouquet (20 décembre).

Comédien du roi

Un de ces « valets
intérieurs » par
lesquels « le roi
se communiquait
particulièrement»
(Saint-Simon).

1665   Molière monte l'*Alexandre* de Racine (4 dé-
      cembre); mais Racine le trahit pour l'Hôtel
      de Bourgogne (18 décembre).
      Fondation du *Journal des savants*.
      Mort de Mme de Rambouillet.
      Maximes de La Rochefoucauld.

1658 (12 juillet). La troupe (dix acteurs et actrices) loue à Paris le Jeu de paume du Marais (il y avait 120 jeux de paume à Paris et la vogue de la paume commençait à passer). Protégée par **Monsieur,** frère unique du roi, elle se taille bientôt une réputation inégalable dans le comique. En conséquence, le roi l'installe dans la salle du **Petit-Bourbon** où elle joue les lundi, mercredi, jeudi et samedi (les autres jours étant réservés aux Comédiens italiens).

1659 (18 novembre). On joue **les Précieuses ridicules** (après *Cinna*) avec un succès éclatant. La pièce est imprimée en janvier 1660 : les auteurs sont « à présent mes confrères », ironise le comédien dans sa préface.

1660 Molière crée le personnage aux moustaches tombantes de **Sganarelle**[1] (le « laid humain personnifié et qui fait rire », selon Sainte-Beuve) et devient, selon Somaize, « le premier farceur de France ». Son frère étant mort, Molière reçoit définitivement le titre de tapissier valet de chambre du roi.

1662 (20 février). A Saint-Germain-l'Auxerrois, il épouse **Armande Béjart** (elle a une vingtaine d'années de moins que lui : pensons à Arnolphe devant Agnès), fille ou sœur de Madeleine.
Dans la magnifique salle du **Palais-Royal** (on démolit le Petit-Bourbon depuis octobre 1660 afin d'ériger la colonnade du Louvre) qu'elle partage avec les Italiens, et où elle restera jusqu'à la mort de Molière, la troupe triomphe[2] dans *l'École des femmes*. Molière reçoit la première pension accordée par le roi à un comédien. L'envie, la jalousie suscitent des cabales dirigées par les comédiens de l'Hôtel de Bourgogne (c'est la « guerre comique »); on dénonce l'impiété de Molière : il a pour amis des gassendistes, disciples d'Épicure, et un historien catholique de nationalité suisse, M. Gonzague de Reynold, parlait encore ainsi il y a une trentaine d'années (*Le XVIIe siècle*, 1944, p. 63) de l'épicurisme : « C'est l'adversaire avec lequel on ne compose jamais. »

1664 (février). Réplique royale : le premier-né (qui mourra en mai) de Molière a pour parrain le roi et pour marraine Madame.

1664 (du 8 au 13 mai). Molière anime « les plaisirs de l'Ile enchantée » et fait représenter *la Princesse d'Élide*.

1664 (12 mai). Première représentation publique du *Tartuffe*. Mais, influencé par les dévots, le roi interdit de jouer la pièce en public.

1665 (15 février). *Dom Juan*[3] au Palais-Royal : 15 représentations seulement.

1665 (15 août). La troupe devient la **Troupe du roi** et reçoit 6 000 livres de pension.

1665 (27 novembre). Molière tombe malade d'une fluxion de poitrine et se trouve écarté de la scène durant deux mois. Il subit une rechute de quatre mois en 1666 et ne remontera sur les planches qu'en juin 1667.

---

1. Sganarelle apparaît dans *le Médecin volant* (valet de Valère), *le Cocu imaginaire* (bourgeois de Paris), *l'École des maris* (tuteur d'Isabelle), *Dom Juan* (valet de Don Juan), *l'Amour médecin* (bourgeois, père de Lucinde), *le Médecin malgré lui* (fagotier, mari de Martine). — 2. Elle joue maintenant les mardi, vendredi et dimanche, comme les Grands Comédiens. — 3. M. Antoine Adam (*Histoire de la littérature française au XVIIe siècle*, III, p. 321) a expliqué pourquoi l'on écrit *Dom* pour le titre de la pièce et *Don* pour le personnage.

1666	Mort d'Anne d'Autriche (22 janvier).	Deuils, douleurs.
	Mort du prince de Conty (10 février).	
	Satires I à VI de Boileau.	
	Le Roman bourgeois par Furetière.	
	Newton réalise la décomposition de la lumière.	
1667	M\ulle Du Parc quitte Molière pour l'Hôtel de Bourgogne où, le 22 novembre, elle crée le rôle d'Andromaque (elle mourra le 11 décembre 1668).	
1668	*Fables* (livres I à VI) de La Fontaine.	
	Les Plaideurs, comédie de Racine.	Disgrâce.
1669	*Oraison funèbre d'Henriette de France* par Bossuet.	Maladie et mort.
	Britannicus, tragédie de Racine.	
1670	Mort d'Henriette d'Angleterre (29 juin).	
	Bérénice, tragédie de Racine.	
	Tite et Bérénice, tragédie de Corneille.	Obsèques.
	Première publication des *Pensées* de Pascal.	
1671	Début de la *Correspondance* de M\ume de Sévigné.	
	Début de la construction des Invalides.	
1672	Mort du chancelier Séguier, protecteur de l'Académie.	*Sic transit...*
	Bajazet, tragédie de Racine.	
	Louis XIV s'installe à Versailles.	
1673	Première réception publique à l'Académie française (13 janvier).	
	Mithridate, tragédie de Racine.	

Les aînés de Molière et ses cadets

Malherbe (1555)	Pascal (1623) . . . .
. François de Sales (1567)	M\ume de Sévigné (1626) . . . . . .
. . Honoré d'Urfé (1568)	Bossuet (1627) . . . .
. . . Racan (1589)	Boileau (1636) . . . .
. . . . Vaugelas (1595)	Racine (1639) . . . .
. . . . . Balzac (1595?)	La Bruyère (1645) . . . . . .
. . . . . . Descartes (1596)	Bayle (1647) . . . .
. . . . Corneille (1606)	Fénelon (1651) . . . . . .
. . . . Retz, La Rochefoucauld (1613)	Fontenelle (1657) . . .
. . . . La Fontaine (1621)	Saint-Simon (1675).

Molière né en 1622

L'âge du succès

Racine (*Andromaque*) et Hugo (*Hernani*) : vingt-huit ans.
Corneille (*Le Cid*) : trente ans.
Molière (*Les Précieuses ridicules*) : trente-sept ans.
La Fontaine (premier recueil des *Fables*) : quarante-sept ans.
Stendhal, Rimbaud : plusieurs générations après leur mort.

1667   Armande et lui ayant décidé de vivre séparément, Molière loue un appartement dans le village d'Auteuil, afin de s'y reposer en compagnie de Chapelle, de Boileau et du petit Baron, âgé de quatorze ans, dont il fera un comédien.

1667 (5 août).   Seconde représentation publique du *Tartuffe*, sous le titre de *l'Imposteur*. Le lendemain, Lamoignon interdit la pièce.

1669 (5 février).   Le roi ayant levé l'interdiction de jouer *Tartuffe*, la recette atteint le chiffre record de 2 860 livres.

1669 (23 février).   Mort de Jean Poquelin, père de Molière.

1672 (17 février).   Mort de Madeleine Béjart, à cinquante-cinq ans, après une longue maladie (elle s'était repentie depuis un certain temps). Lully commence à supplanter Molière dans la faveur royale.

1673 (17 février).   **Molière tombe malade** durant la quatrième représentation du *Malade imaginaire* et **meurt** (de tuberculose?) en son logis, rue de Richelieu. « Il passa des plaisanteries du théâtre au tribunal de Celui qui dit : *Malheur à vous qui riez, car vous pleurerez* » (Bossuet). Riche directeur de troupe, héritier de la charge paternelle, il faudra six jours aux hommes de loi pour faire l'inventaire de ses biens.

1673 (21 février, 9 heures du soir).   Après intervention du roi auprès de Mgr de Harlay, archevêque de Paris, on enterre le poète de nuit (car il était mort sans avoir renié sa vie de comédien devant un prêtre), au cimetière Saint-Joseph, dans le terrain réservé aux enfants mort-nés (donc non baptisés), « sans autre pompe sinon de trois ecclésiastiques ». Cependant, le même mémorialiste ajoute : « Quatre prêtres ont porté le corps dans une bière de bois, couverte du poêle des tapissiers, six enfants bleus portant six cierges dans six chandeliers d'argent, plusieurs laquais portant des flambeaux de cire allumés »; huit cents personnes, dont Boileau et Chapelle, assistèrent aux funérailles.

1677 (29 mai).   Armande épouse le comédien Guérin d'Estriché.

Documents les plus anciens

Les gazettes : *la Muse historique* (1652-1655); *la Muse héroïcomique* (1664-1665); *la Muse royale* (1656-1666); *la Muse de la cour* (1665-1666); *le Mercure galant*, fondé en janvier 1672 par Donneau de Visé.

Élomire hypocondre, comédie en cinq actes de Le Boulanger de Chalussay (1670).

Le registre de La Grange, tenu de 1659 à 1685.

Le registre de La Thorillière.

La Fameuse Comédienne ou histoire de la Guérin, auparavant femme et veuve de Molière (1688).

La Vie de Molière par Grimarest (1705).

Addition à la vie de Molière par Grimarest (1706).

Vie de Molière et Commentaires par Voltaire (1764).

Georges Mongrédien, *Recueil des textes et documents du XVIIe siècle, relatifs à Molière*. C.N.R.S., 2 vol. 1966.

MOLIÈRE : L'HOMME

Il n'était pas beau. « Les gravures de Brissart en 1682 prouvent qu'il était bas sur jambes, et que le cou très court, la tête trop forte et enfoncée sur les épaules lui donnaient une silhouette sans prestige » (A. Adam, *op. cit.*, III, p. 224).

Cependant, débarrassé de ses oripeaux de comédien, « il se fit remarquer à la Cour pour un homme civil et honnête, ne se prévalant point de son mérite et de son crédit, s'accommodant à l'humeur de ceux avec qui il était obligé de vivre, ayant l'âme belle, libérale, en un mot possédant et exerçant toutes les qualités d'un parfait honnête homme » (Préface de Vinot et La Grange, 1682).

Il portait en scène deux moustaches noires, épaisses et tombantes, comme son maître Scaramouche. Il les supprima en 1666, pour jouer Alceste ; les spectateurs furent déçus.

Mime génial, il arrivait en scène les pieds largement ouverts, comme Charlot ; « tout parlait en lui, et d'un pas, d'un sourire, d'un clin d'œil et d'un remuement de tête, il faisait plus concevoir de choses que le plus grand parleur n'en aurait pu dire en une heure » (Donneau de Visé).

Esprit parisien, un peu gaulois, il fut « le premier farceur de France », selon Somaize ; d'une « charmante naïveté », selon Boileau, « dans les combats d'esprit savant maître d'escrime » (*Satires*, II). « Il n'est bon bec que de Paris », selon le proverbe, mais l'esprit parisien se présente sous des formes variées : narquois et tendre chez Villon ; amer et satirique chez Boileau ; mondain, épigrammatique chez Voltaire ; insolent, persifleur chez Beaumarchais ; irrespectueux et rieur chez le jeune Musset. En Molière, l'esprit s'unit au bon sens, selon une tradition bien française. « Nous goûtons chez lui notre plaisir national » (Taine).

Nous n'avons de Molière aucune lettre, aucun manuscrit, et cependant combien de manuscrits possédons-nous qui datent du XVIIe siècle ! N'y a-t-il pas là un mystère semblable à celui qui entoure Shakespeare ? [1] « Il y a autour de Molière un mystère que personne n'a jamais éclairci. Qui nous dira pourquoi nous n'avons de lui aucune espèce d'autographe, fors sa signature [...] ? Il semble qu'il ait souffert, sur la fin de sa vie, d'étranges machinations, qui nous demeureront à jamais inconnues » (Francis Ambrière, *la Galerie dramatique*, 1949, p. 273).

---

1. Pierre Louÿs (voir *la Nouvelle Revue* du 1er mai 1920) a pu insinuer que Corneille serait l'auteur des pièces auxquelles Molière aurait seulement prêté son nom, et Abel Lefranc a « démontré » que l'auteur des pièces signées par le comédien Shakespeare serait William Stanley, comte de Derby.

MOLIÈRE : SES PRINCIPES

1. **Le metteur en scène** aurait été approuvé par l'auteur du *Paradoxe sur le comédien* puisque Diderot voulait qu'on joue « de tête » et non d'inspiration : « Chaque acteur sait combien il doit faire de pas, et toutes ses œillades sont comptées » (Donneau de Visé, à propos de *l'École des femmes*).

   « Un coup d'œil, un pas, un geste, tout [...] était observé avec une exactitude qui avait été inconnue jusque-là sur les théâtres de Paris » (noté par La Grange sur son précieux carnet de régisseur).

2. **L'écrivain** voulait instruire et plaire, mais sans s'astreindre à des règles rigoureuses ; ses préfaces nous en informent :

   1660, préface des *Précieuses ridicules :* « Le public est juge absolu de ces sortes d'ouvrages. » *Les Précieuses* « valent quelque chose puisque tant de gens en ont dit du bien ».

   1662, avertissement des *Fâcheux :* « Je tiens aussi difficile de combattre un ouvrage que le public approuve que d'en défendre un qu'il condamne. »

   1663, *Critique de l'École des femmes :* « Je me fierais assez à l'approbation du parterre, par la raison qu'entre ceux qui le composent, il y en a plusieurs qui sont capables de juger d'une pièce selon les règles et que les autres en jugent par la bonne façon d'en juger, qui est de se laisser prendre aux choses, et de n'avoir ni prévention aveugle, ni complaisance affectée, ni délicatesse ridicule » (Dorante, sc. 5).

   « La grande épreuve de toutes vos comédies, c'est le jugement de la Cour [...] c'est son goût qu'il faut étudier pour trouver l'art de réussir [...] il n'y a point de lieu où les décisions soient si justes [...] on s'y fait une manière d'esprit qui, sans comparaison, juge plus finement des choses que tout le savoir embrouillé des pédants » (Dorante, sc. 6).

   « Vous êtes de plaisantes gens avec vos règles, dont vous embarrassez les ignorants et nous étourdissez tous les jours [...]. Je voudrais bien savoir si la grande règle de toutes les règles n'est pas de plaire » (Dorante, sc. 6).

   1669, préface de *Tartuffe :* « Si l'emploi de la comédie est de corriger les vices des hommes, je ne vois pas pour quelle raison il y en aura de privilégiés [...]. Les plus beaux traits d'une sérieuse morale sont moins puissants, le plus souvent, que ceux de la satire ; et rien ne reprend mieux la plupart des hommes que la peinture de leurs défauts [...]. On veut bien être méchant ; mais on ne veut point être ridicule. » Une comédie est « un poème ingénieux qui, par des leçons agréables, reprend les défauts des hommes ».

1682, préface de l'édition complète par Vinot et La Grange :
« Jamais homme n'a mieux su que lui [Molière] remplir le précepte
qui veut que la comédie instruise en divertissant. »

Il s'est donné « pour but dans toutes ses pièces d'obliger les hommes
à se corriger de leurs défauts ».

Castigat ridendo mores, « elle corrige les mœurs en riant » : devise de la
comédie, imaginée par le poète Santeul (1630-1697).

En le faisant rire, Molière plut au public de son temps, La Fontaine
l'a noté dans une épître à Maucroix, écrite après le succès des
Fâcheux (1661) :

> Cet écrivain, par sa manière,
> Charme à présent toute la Cour.
> De la façon dont son nom court,
> Il doit être par-delà Rome.
> J'en suis ravi, car c'est mon homme.

Il instruisit le public de son temps par ses études de mœurs et de
caractères, La Fontaine l'en loua dans la même épître :

> Nous avons changé de méthode,
> Jodelet [1] n'est plus à la mode,
> Et maintenant il ne faut pas
> Quitter la nature d'un pas.

Le satirique « disait que rien ne lui donnait du déplaisir comme d'être accusé
de regarder quelqu'un dans les portraits qu'il fait; que son
dessein est de peindre les mœurs sans toucher aux personnes et
que tous les personnages qu'il représente sont des personnages
en l'air, et des fantômes proprement qu'il habille à sa fantaisie
pour réjouir les spectateurs [...] et que si quelque chose était capable
de le dégoûter de faire des Comédies, c'était les ressemblances
qu'on y voulait toujours trouver, et dont ses ennemis tâchaient
malicieusement d'appuyer la pensée pour lui rendre de mauvais
offices auprès de certaines personnes à qui il n'a jamais pensé »
(*l'Impromptu de Versailles*, sc. 4).

1. Acteur qui appartint à la troupe du Marais, entra à l'Hôtel de Bourgogne
en 1634, puis dans la troupe de Molière en 1659. Il mourut en 1668. Avec
son nez de blaireau et son poil gris, il maintint la tradition de la farce.

MOLIÈRE : SON ŒUVRE

1. L'esprit gaulois du Parisien nous a légué 4 farces [1] **:**

> *La Jalousie du Barbouillé,* 12 sc. en prose; *le Médecin volant* (jouée par Molière en 1659), 16 sc. en prose; *Sganarelle ou le Cocu imaginaire* (1660), 24 sc. en vers; *le Médecin malgré lui* (1666), 3 actes en prose.
> La farce faisant « rire le parterre », Molière lui restera fidèle : on en trouve des traces dans les grandes comédies, depuis *les Précieuses* (1659) jusqu'au *Malade imaginaire* (1673).

2. Le comédien du roi a conçu 15 comédies-ballets et autres pièces mêlées de chansons et de danses pour répondre au goût du monarque, danseur remarquable : *Les Fâcheux* (1661), comédie « faite, apprise, et représentée en quinze jours » (*Avertissement*), 3 actes en vers; *le Mariage forcé* (1664), comédie jouée d'abord en 3 actes, aujourd'hui faite de 10 sc. en prose sans ballets; *les Plaisirs de l'Ile enchantée* (1664), en trois « journées », et *la Princesse d'Élide,* 5 actes en prose mêlée de vers; *l'Amour médecin* (1665), 3 actes en prose, comédie faite, apprise et représentée en cinq jours; *Dom Garcie de Navarre ou le Prince jaloux,* comédie héroïque, 5 actes en vers, écrite en 1659, jouée en 1661; *Mélicerte* (1666), comédie pastorale héroïque, 2 actes en vers; *Pastorale comique* (1667), 6 sc. en vers; *le Sicilien ou l'Amour peintre* (1667), 20 sc. en prose; *Monsieur de Pourceaugnac* (1669), 3 actes en prose; *les Amants magnifiques ou Divertissement royal* (1670), 5 actes ne prose; *le Bourgeois gentilhomme* (1670), 5 actes en prose; *Psyché* [2] (1671), tragédie-ballet, 5 actes en vers; *la Comtesse d'Escarbagnas* (1671), 9 sc. en prose; *le Malade imaginaire* [3] (1673), 3 actes en prose.
Certaines comédies de ce groupe rejoignent la farce (*la Comtesse d'Escarbagnas*), d'autres s'élèvent jusqu'à la comédie de caractère (*le Malade imaginaire*).

---

1. On connaît le titre d'un certain nombre de « petits divertissements » par lesquels, en province puis à Paris, Molière achevait ses représentations. Mais on ne sait s'il en fut l'auteur. M. Antoine Adam (III, p. 251) pense que toutes les farces où paraissent Gros-René (*la Jalousie de Gros-René,* 1660; *Gros-René écolier,* 1662), Gorgibus (*Gorgibus dans le sac,* 1661), un médecin (*le Médecin volant*) ou un pédant (*le Docteur pédant,* 1660) sont de Molière. M. A.-J. Guibert a publié en 1960 un *Docteur amoureux* qu'il croit être de Molière et que celui-ci aurait présenté au Louvre le 24 octobre 1658. — 2. Écrite avec la collaboration de Corneille et de Quinault. — 3. Lully ayant obtenu, le 13 mars 1672, un véritable monopole des représentations musicales, défense fut faite à toute troupe de comédiens d'utiliser plus de 6 chanteurs et de 12 instrumentistes. Ainsi Molière se trouva-t-il écarté de la faveur royale et, bien que destiné à la Cour, *le Malade imaginaire* ne fut pas joué devant le roi.

3. **Le polémiste a écrit 2 comédies critiques** (aujourd'hui, un auteur attaqué se défendrait en écrivant dans les journaux; outre qu'ils étaient rares au xviie siècle et de parution peu fréquente, Molière, comédien avant tout, aimait s'adresser directement à son public) : *la Critique de l'École des femmes* (1663), 7 sc. en prose; *l'Impromptu de Versailles* (1663), 11 sc. en prose.

4. **L'acteur n'a pas oublié que l'art dramatique est action** (*drama*), **d'où 4 comédies d'intrigue** : *l'Étourdi ou les Contretemps* (jouée à Lyon en 1653-1655), 5 actes en vers : *le Dépit amoureux* (jouée à Béziers en 1656), 5 actes en vers; *Amphitryon* (1668), 3 actes en vers; *les Fourberies de Scapin* (1671), 3 actes en prose.

5. **Le « rare génie » nous a laissé 9 comédies de mœurs et de caractères** : *les Précieuses ridicules* (1659), 17 sc. en prose ; le succès de cette farce qui s'élève jusqu'à la satire des mœurs peut être comparé à celui du *Cid* (1637) pour Corneille et d'*Andromaque* (1667) pour Racine; *l'École des maris* (1661), 3 actes en vers; *l'École des femmes* (1662), 5 actes en vers; *Dom Juan* (1665), 5 actes en prose; *le Misanthrope* (1666), 5 actes en vers; *George Dandin ou le Mari confondu* (1668), 3 actes en prose; *Tartuffe ou l'Imposteur* (1664 pour 3 actes, puis 1669), 5 actes en vers; *l'Avare* (1668), 5 actes en prose; *les Femmes savantes* (1672), 5 actes en vers.

Bibliographie

P. Brisson, *Molière*, Paris, Gallimard, 1942.

J. Audiberti, *Molière*, Paris, l'Arche, 1954.

R. Bray, *Molière, homme de théâtre*, Paris, Mercure de France, 1954 et 1963.

A. Adam, *Histoire de la littérature française au XVIIe siècle*, tome III, Paris, Domet-Del Duca, 1952.

R. Jasinski, *Molière*, Coll. Connaissance des Lettres, Paris, Hatier, 1970.

M. Descotes, *Molière et sa fortune littéraire*, Coll. Tels qu'en eux-mêmes, Bordeaux, Ducros, 1970.

J.-P. Collinet, *Lectures de Molière*, Coll. U 2, Paris, Armand Colin, 1974.

R. Ikor, *Molière double*, Paris, P. U. F., 1977.

LA COMÉDIE DE «GEORGE DANDIN»

1. Circonstances de la représentation

Après la paix d'Aix-la-Chapelle (2 mai 1668), qui suivait la conquête de la Franche-Comté, et qui donnait la Flandre à la France, Louis XIV voulut organiser de grandes fêtes dans les jardins de Versailles. De longs préparatifs assurèrent le succès de ces divertissements, au cours desquels fut représentée la comédie de *George Dandin*, comme nous l'atteste la *Gazette* du 21 juillet 1668 :

« Le 19 de ce mois, Leurs Majestés, avec lesquelles étoient Monseigneur le Dauphin, Monsieur et Madame et tous les seigneurs et dames de la Cour, s'étant rendues à Versailles, y furent diverties par l'agréable et pompeuse fête qui s'y préparoit depuis si longtemps, et avec la magnificence digne du plus grand monarque du monde. Elle commença, sur les sept heures du soir, ensuite de la collation qui étoit délicieusement préparée en l'une des allées du parc de ce château, par une comédie des mieux concertées, que représenta la troupe du Roi, sur un superbe théâtre, dressé dans une vaste salle de verdure. Cette comédie, qui étoit mêlée dans les entr'actes d'une espèce d'autre comédie en musique et de ballets, ne laissa rien à souhaiter en ce premier divertissement, auquel une seconde collation de fruits et de confitures en pyramides fut servie aux deux côtés de ce théâtre et présentée à Leurs Majestés par les seigneurs qui étoient placés dessus : ce qui, étant accompagné de quantité de jets d'eau, fut trouvé tout à fait galant par l'assistance de près de trois mille personnes, entre lesquelles étoient le nonce du Pape, les ambassadeurs qui sont ici et les cardinaux de Vendôme et de Retz. »

La relation de la fête de Versailles (dont nous donnons des extraits en Appendice, p. 99 et suiv.) montre bien à quel point le divertissement en vers, mêlé de musique et de danses, était associé à la comédie en prose : chaque acte était suivi d'intermèdes musicaux et l'effet d'ensemble était certainement très différent de celui qu'aurait produit la représentation de la pièce sur un théâtre de la ville. La comédie est un fragment de ce divertissement, comme Robinet le souligne dans sa lettre à Madame du 21 juillet 1668 :

> En ce beau rendez-vous des jeux
> Un théâtre auguste et pompeux,
> D'une manière singulière,
> S'y voyoit dressé pour Molière,
> Le Mome [1] cher et glorieux
> Du bas Olympe de nos Dieux.
>
> Lui-même donc, avec sa troupe,
> Laquelle avoit les Ris en croupe,
> Fit là le début des ébats
> De notre Cour, pleine d'appas,
> Par un sujet archicomique

---

1. Momus, dieu des rires et des chansons.

> Auquel riroit le plus stoïque
> Vraiment, mal gré bon gré ses dents,
> Tant sont plaisants les incidents.
>
>   Cette petite comédie
> Du cru de son rare génie,
> Et je dis tout disant cela,
> Étoit aussi par-ci par-là
> De beaux pas de ballet mêlée,
> Qui plurent fort à l'assemblée,
> Ainsi que de divins concerts
> Et des plus mélodieux airs,
> Le tout du sieur Lulli-Baptiste.

Après cette première représentation, du mercredi 18 juillet 1668, la pièce fut donnée à nouveau à la Cour, une fois le 3 novembre et deux fois entre le 4 et le 6 novembre. C'est le vendredi 9 novembre 1668 que la comédie fut présentée à la ville, au Palais-Royal, remplaçant *l'Avare* à l'affiche jusqu'au 16 décembre. *George Dandin* fut joué dix fois au Palais-Royal en 1668, treize fois en 1669, dix en 1670, trois en 1671, trois en 1672. Après la mort de Molière, il y eut quinze représentations à la Cour et trois cent quinze à la ville, sous le règne de Louis XIV, six à la Cour et deux cent soixante-dix-sept à la ville sous Louis XV. De tels chiffres, pour une petite comédie, permettent de conclure à un grand succès.

L'édition originale date de 1669. L'édition complète des œuvres de Molière, en 1734, modifie la répartition des scènes et introduit des indications sur le jeu des acteurs (voir les détails ci-après). De nombreuses traductions et adaptations (en anglais, en allemand, en russe, en polonais, en grec, en turc, etc.) attestent le succès universel de la comédie, qui tenta également des auteurs d'opéra (Charles Gounod, en particulier, avait eu le dessein de composer un opéra sur la pièce de Molière; *la Revue et Gazette musicale* du 17 octobre 1875 donna cet opéra comme terminé, mais il ne vit en fait jamais le jour).

Les acteurs ne sont pas connus de façon certaine, sauf pour le personnage de Lubin, joué par La Thorillière, qui fut beaucoup loué :

> Mais entre tous ces grands zélés,
> Qui se sont si bien signalés,
> Remarquable est La Torilière,
> . . . .
> Qui sans doute étoit le plus drôle
>
>   (Robinet, *Lettre en vers à Madame*)

On peut penser que Molière interprétait lui-même le rôle de George Dandin. L'inventaire de 1673 décrit ainsi son costume : « Une boîte dans laquelle sont les habits de la représentation de *George Dandin*, consistant en haut-de-chausses et manteau de taffetas musc, le col de même; le tout garni de dentelle et boutons d'argent, la ceinture pareille; le petit pourpoint de satin cramoisi; autre pourpoint de dessous, de brocart de différentes couleurs et dentelles d'argent;

la fraise et souliers. » La Grange jouait sans doute Clitandre et Mademoiselle de Brie, Claudine. Quant à Angélique, on pense que le rôle fut tenu par Mademoiselle Molière, sans qu'il faille pour autant voir dans ce choix la preuve que la comédie reflète le drame caché du ménage de Molière. On serait plutôt tenté d'y trouver le signe que Molière jugeait impossible un rapprochement entre lui-même et le personnage de George Dandin.

2. Les sources de « George Dandin »

a) **Molière reprend un sujet déjà esquissé dans la « Jalousie du Barbouillé ».** Cette farce, attribuée à Molière et représentée vers 1660, s'inspire probablement elle-même d'un canevas italien qui nous est resté inconnu (se reporter pour ce problème de la farce et pour tout ce qui concerne *la Jalousie du Barbouillé* à l'appendice des *Précieuses ridicules*, éd. Bordas, p. 91). L'acte III de *George Dandin*, en particulier, doit être rapproché des dernières scènes de *la Jalousie* (voir notre commentaire ci-après). On y voit un mari, las des déportements de sa femme, se faire mettre à la porte de chez lui grâce à un subterfuge. Mais si le jeu de scène est le même, Gorgibus, le père, réduit à une silhouette, ne peut pas être comparé aux Sotenville. Une même idée a servi aux deux pièces, mais toute la distance qui sépare la farce d'une authentique comédie de mœurs met en valeur la richesse de *George Dandin*.

b) Le thème de la comédie était d'ailleurs déjà attesté dans des **récits orientaux** et dans des **contes et fabliaux du Moyen Age,** sans qu'on puisse dire avec certitude que Molière en ait eu connaissance directement. Ce qu'il y a de sûr, c'est qu'un certain nombre de textes, entre le XIIe et le XVe siècle, contiennent des versions plus ou moins complètes de l'histoire mise en scène par Molière de cinq cents à deux cents ans plus tard.

Au XIIe siècle, l'Aragonais Pierre d'Alphonse, ou Pierre Alphonse, écrit une *Disciplina clericalis*, traduite en prose française, au XVe siècle, sous ce titre : *la Discipline de clergie*. Le douzième conte, intitulé *De celui qui enferma sa fame en une tor*, évoque l'épisode que l'on retrouve à l'acte III de *George Dandin :* la femme oblige son mari à sortir de la maison en lui faisant croire qu'elle se suicide, et elle l'enferme à l'extérieur. La seule différence est qu'elle jette une pierre dans un puits pour faire croire qu'elle s'est noyée, alors que Molière, sans doute pour simplifier la mise en scène, parle d'un coup de couteau (ci-après, voir *la Porte fermée,* p. 78).

— Le *Dolopathos* ou histoire *d'un Roi et de sept Sages* (traduit en vers français sous le titre *li Romans de Dolopathos*) est l'œuvre d'un moine de la fin du XIIe siècle ou du début du XIIIe. Cet ouvrage semble issu d'histoires orientales rattachées au *Livre de Sindibad*, recueil indien de fables dont l'original s'est perdu, mais qui a exercé une grande influence sur la littérature arabe médiévale. Dans le premier conte écrit en latin, comme dans sa traduction française en vers, le mari, loin d'être un vieillard, est un jeune Romain ennemi du mariage, et qui finit par prendre épouse. Trompé par sa femme, il est victime du subterfuge que nous avons évoqué plus haut. La seule différence réside dans la conclusion, où le mari retrouve le calme en chassant son épouse.

— *Li Romans de Dolopathos* aura la plus grande diffusion, en particulier sous la forme d'une traduction latine, l'*Historia septem sapientium (Romae)*, que Gaston Paris date de 1330 : voir notre Appendice III, p. 108. Le héros est cette fois un vieillard qui laisse sa femme à la rue malgré ses supplications, afin que le guet l'arrête et qu'elle soit exposée au pilori. Mais, en faisant croire à son mari qu'elle se jette dans un puits, elle l'oblige à sortir, et c'est lui qui est la victime; saisi par la garde, il est conduit au pilori.

Il n'est pas impossible que Molière ait eu connaissance de cette histoire, fréquemment éditée au XVᵉ siècle.

c) **L'imitation de Boccace.** Il serait vain de rechercher tous les fabliaux et tous les contes du Moyen Age où un mari est trompé par sa femme, en dehors de ceux que nous venons de citer, et où l'analogie du subterfuge avec notre pièce méritait d'être ·signalée.

Il est plus sûr que Molière ait emprunté au *Décaméron* de Boccace, soit directement, soit par l'intermédiaire d'un canevas de la comédie italienne, le thème de *la Jalousie du Barbouillé* et de *George Dandin;* le quatrième conte de la VIIᵉ journée du *Décaméron* est ainsi résumé dans l'édition publiée à Florence en 1582 : « Une nuit, Tofano ferme la porte de la maison à sa femme, qui, ne pouvant plus rentrer, fait semblant de se jeter dans un puits et y jette une grosse pierre. Tofano sort de la maison, court au puits, et elle en profite pour entrer dans la maison dont elle ferme la porte, se mettant alors à le gronder et à l'injurier. » Il est inutile de souligner, une fois de plus, la parenté de cette histoire (voir notre Appendice IV, p. 112) avec la pièce de Molière.

Un deuxième conte de Boccace, le huitième de la VIIᵉ journée, a pu, lui aussi, servir de modèle à *George Dandin.* Un très riche marchand songe à « se mettre dans la gentilhommerie par sa femme, ayant épousé une jeune demoiselle noble ». Selon les bonnes traditions du conte populaire, il est trompé par sa jeune épouse, qui emploie de nombreux subterfuges pour donner le change. Mais ce qui fait penser à *George Dandin* est l'attitude du mari, qui veut à tout prix faire partager sa conviction d'époux dupé à ses beaux-parents et à ses beaux-frères. L'indignation des parents crédules retombe sur le malheureux mari qui, effondré, renonce à convaincre qui que ce soit de la tromperie, et laisse sa femme en paix (Appendice IV, p. 116-121).

Tous ces rapprochements mettent d'autant mieux en valeur l'originalité de Molière; elle réside, selon les bonnes règles classiques, non dans la matière, mais dans la façon de traiter le sujet.

SCHÉMA DE LA COMÉDIE

Acte I — L' « honneur » de Clitandre

Sc. 1   Lamentations de George Dandin, qui se repent d'avoir épousé une femme noble.

Sc. 2   Lubin apprend à George Dandin, dont il ignore l'identité, les entreprises de Clitandre auprès d'Angélique.

Sc. 3   Reprise des lamentations de George Dandin, qui décide de se plaindre auprès de ses beaux-parents.

Sc. 4   George Dandin jette le doute dans l'esprit de ses beaux-parents, malgré la confiance qu'ils ont dans les vertus de leur race.

Sc. 5   Clitandre oppose un démenti formel aux accusations que lui rapporte M. de Sotenville.

Sc. 6   Angélique, qui a rejoint Clitandre, achève de convaincre ses parents.

Sc. 7 et 8   M. de Sotenville oblige George Dandin à s'excuser auprès de Clitandre.

Sc. 9   Le mari bafoué se promet de détromper ses beaux-parents.

Acte II — La « vertu » d'Angélique

Sc. 1   Burlesque tentative de séduction de Lubin auprès de Claudine.

Sc. 2 et 3   George Dandin réprimande Angélique pendant que cette dernière communique par signes avec Clitandre.

Sc. 4   Déclaration d'indépendance d'Angélique à son mari.

Sc. 5   Satisfaction d'Angélique à la lecture d'un billet galant de Clitandre.

Sc. 6   Claudine promet à Clitandre de lui ménager une entrevue avec Angélique.

Sc. 7   Lubin vend à nouveau la mèche à George Dandin.

Sc. 8   Monologue du mari qui ne songe toujours qu'à ouvrir les yeux aux parents d'Angélique.

Sc. 9   (homologue de la scène 4 de l'acte I). George Dandin réussit à faire douter ses beaux-parents de la vertu de leur fille.

Sc. 10   Angélique, qui a vu ses parents, fait semblant de chasser Clitandre honteusement.

Sc. 11   Les Sotenville félicitent leur fille.

Sc. 12   Les Sotenville manifestent leur contentement et invitent leur gendre à faire la paix avec sa femme.

Sc. 13   George Dandin se promet une nouvelle fois de démasquer les tromperies d'Angélique.

Acte III — Les « impertinences » de George Dandin

Sc. 1   Clitandre et Lubin arrivent à la porte d'Angélique.

Sc. 2   Angélique et Claudine vont rejoindre Clitandre et Lubin.

Sc. 3 Une troisième fois, Lubin, dans l'obscurité, apprend à George Dandin la ruse de sa femme.

Sc. 4 George Dandin envoie chercher ses beaux-parents.

Sc. 5 et 6 Dialogue amoureux entre Clitandre et Angélique, écouté à leur insu par le mari bafoué.

Sc. 7 et 8 George Dandin a fermé la porte de la maison et Angélique, dans la rue, supplie son mari de la laisser rentrer, avant de le menacer de se suicider.

Sc. 9 et 10 Pendant que George Dandin sort dans la rue, Angélique rentre et referme la porte.

Sc. 11 Angélique et Claudine insultent George Dandin en l'accusant d'ivrognerie.

Sc. 12 M. et Mme de Sotenville, survenant sur ces entrefaites, sont convaincus de la mauvaise conduite... de leur gendre.

Sc. 13 et 14 George Dandin est obligé de demander pardon à sa femme, qui joue les épouses outragées.

Sc. 15 Renoncement de George Dandin.

Structure de l'action dans chaque acte :

a) Lubin apprend à George Dandin les machinations d'Angélique.
b) Venue des Sotenville.
c) Ruse d'Angélique.
d) Déconfiture de George Dandin.

SOMMAIRE DE LA COMÉDIE
selon
VOLTAIRE

On ne connaît et on ne joue cette pièce que sous le nom de George Dandin ; *et, au contraire,* le Cocu imaginaire, *qu'on avait intitulé et affiché* Sganarelle, *n'est connu que sous le nom de* Cocu imaginaire, *peut-être parce que ce dernier titre est plus plaisant que celui du* Mari confondu. George Dandin *réussit pleinement ; mais si on ne reprocha rien à la conduite et au style, on se souleva un peu contre le sujet même de la pièce ; quelques personnes se révoltèrent contre une comédie dans laquelle une femme mariée donne un rendez-vous à son amant. Elles pouvaient considérer que la coquetterie de cette femme n'est que la punition de la sottise que fait George Dandin d'épouser la fille d'un gentilhomme ridicule.*

Michel Etcheverry (Monsieur de Sotenville)
et Denise Gence (Madame de Sotenville)

Mise en scène de Jean-Paul Roussillon
Comédie-Française, 1970

LES PERSONNAGES

GEORGE DANDIN [1], riche paysan, mari d'Angélique.

ANGÉLIQUE [2], femme de George Dandin, et fille de M. de Sotenville.

M. DE SOTENVILLE [3], gentilhomme campagnard, père d'Angélique.

Mme DE SOTENVILLE, sa femme.

CLITANDRE, amant d'Angélique.

CLAUDINE, suivante d'Angélique.

LUBIN, paysan servant Clitandre.

COLIN, valet de George Dandin.

La scène est devant la maison de George Dandin, à la campagne.

---

1. *Dandin* : étymologiquement en rapport avec le verbe *dandiner* (balancer), qui évoque le mouvement d'une cloche, ou plus simplement diminutif d'*André* (comme *Perrin* l'est de *Pierre*). Le nom est attesté chez Rabelais (*Tiers livre*, chapitre 41), où Perrin Dendin, père de Ténot Dendin, est un homme de bien, qui est pris comme arbitre dans les différends des gens du pays. Racine reprend le nom dans sa comédie des *Plaideurs*, contemporaine de la pièce de Molière ; et La Fontaine, dix ans plus tard, donne ce nom au juge de l'*Huître et les Plaideurs* (Fable IX, 9). Mais le nom est également attesté dans la vie réelle, puisqu'on relève à Paris, en 1662, un sellier du nom de George Dandin. — 2. *Angélique* : nom traditionnel dans la farce italienne (cf. *la Jalousie du Barbouillé*), mais particulièrement plaisant ici. — 3. *Sotenville* : inutile de souligner le jeu de mots.

GEORGE DANDIN

OU

LE MARI CONFONDU

COMÉDIE [a]

REPRÉSENTÉE POUR LA PREMIÈRE FOIS A VERSAILLES
LE 18e DE JUILLET 1668
PAR LA
TROUPE DU ROI

ACTE PREMIER

Scène première. — GEORGE DANDIN, *seul*.

Ah! qu'une femme Demoiselle[1] est une étrange[2] affaire, et
que mon mariage est une leçon bien parlante à tous les paysans
qui veulent s'élever au-dessus de leur condition, et s'allier,
comme j'ai fait, à la maison d'un gentilhomme! La noblesse,
de soi, est bonne, c'est une chose considérable[3] assurément;   5
mais elle est accompagnée de tant de mauvaises circonstances,
qu'il est très bon de ne s'y point frotter[4]. Je suis devenu là-dessus
savant à mes dépens, et connais le style[5] des nobles lorsqu'ils
nous font, nous autres, entrer dans leur famille. L'alliance qu'ils
font est petite avec nos personnes : c'est notre bien seul qu'ils   10
épousent; et j'aurais bien mieux fait, tout riche que je suis,
de m'allier en bonne et franche paysannerie[6], que de prendre
une femme qui se tient au-dessus de moi, s'offense de porter
mon nom, et pense qu'avec tout mon bien je n'ai pas assez
acheté la qualité de son mari. George Dandin, George Dandin,   15
vous avez fait une sottise, la plus grande du monde. Ma maison
m'est effroyable[7] maintenant, et je n'y rentre point sans y
trouver quelque chagrin[8].

a. *Var.* Les éditions anciennes, sauf l'édition originale de 1669, n'ajoutent pas la mention
Comédie, donnée dans l'édition de 1734.

---

1. *Demoiselle :* « Femme ou fille d'un gentilhomme, qui est de noble extraction » (*Dict.
de Furetière*, 1690). Cette qualification équivaut à celle de « gentilhomme », appliquée à
un homme. — 2. Extraordinaire. Le mot s'emploie en particulier pour un malheur terrible,
épouvantable : « O Dieu, l'*étrange* peine ! » (Corneille, *le Cid*, v. 308). — 3. Digne d'être prise
en considération. — 4. *Se frotter :* fréquenter, avoir commerce avec. L'expression est imagée,
mais elle n'a pas le caractère familier qu'elle a pris dans la langue moderne. — 5. La façon
d'agir, les procédés. — 6. *Paysannerie :* le terme n'entrera au *Dictionnaire* de l'Académie
qu'en 1835; cf. *gentilhommerie* (l. 111), admis par l'Académie en 1762. — 7. *Effroyable :*
qui inspire un effroi mêlé d'horreur. — 8. Violent déplaisir causé par un ennui grave.

Scène II. — GEORGE DANDIN, LUBIN.

GEORGE DANDIN, *à part* [a], *voyant sortir Lubin de chez lui.* — Que
diantre [1] ce drôle-là vient-il faire chez moi? 20

LUBIN, *à part, apercevant George Dandin.* — Voilà un homme qui me
regarde.

GEORGE DANDIN, *à part.* — Il ne me connaît pas.

LUBIN, *à part.* — Il se doute de quelque chose.

GEORGE DANDIN, *à part.* — Ouais! il a grand'peine à saluer. 25

LUBIN, *à part.* — J'ai peur qu'il n'aille dire qu'il m'a vu sortir de
là-dedans.

GEORGE DANDIN. — Bonjour.

LUBIN. — Serviteur.

GEORGE DANDIN. — Vous n'êtes pas d'ici, que je crois? 30

LUBIN. — Non, je n'y suis venu que pour voir la fête de demain.

GEORGE DANDIN. — Hé! dites-moi un peu, s'il vous plaît : vous venez
de là-dedans?

LUBIN. — Chut!

GEORGE DANDIN. — Comment? 35

LUBIN. — Paix!

GEORGE DANDIN. — Quoi donc?

---

a. *Var.* L'indication scénique *à part*, dans les six premières répliques, est une addition de
l'édition de 1734.

---

1. Mot employé par euphémisme pour : Diable; utilisé comme exclamation ou jurement,
il se rencontre souvent chez Molière.

■■

● **Acte I, scène 1**

Questions

① Étudiez l'art de l'exposition dans cette scène.
Deux éléments :
— des renseignements sur l'action et les personnages;
— une interprétation sociale du drame conjugal de George Dandin.

② George Dandin monologue : c'est un procédé dramatique traditionnel, mais il révèle aussi la solitude du personnage qui, tout au long de
la pièce, entouré de canailles ou d'imbéciles, n'aura personne à qui se
confier. Ce monologue vous paraît-il comique et grotesque?

③ Étudiez le style de ce monologue :
— noblesse du vocabulaire;
— rythme des phrases (en particulier la première, et celle qui commence
(l. 11) par *et j'aurais bien mieux fait, tout riche que je suis...*).

Documentation

1. La scène première de *la Jalousie du Barbouillé* était également un monologue du personnage principal :

> Il faut avouer que je suis le plus malheureux des tous les hommes. J'ai une femme qui me fait enrager. Au lieu de me donner du soulagement et de faire les choses à mon souhait, elle me fait donner au diable vingt fois le jour; au lieu de se tenir à la maison, elle aime la promenade, la bonne chère, et fréquente je ne sais quelle sorte de gens. Ah ! pauvre Barbouillé, que tu es misérable! Il faut pourtant la punir. Si je la tuais?... L'invention ne vaut rien, car tu serais pendu. Si tu la faisais mettre en prison?... La carogne en sortirait avec son passe-partout.

On peut noter ainsi, dès l'abord, l'identité du schéma dramatique (un homme embarrassé par une femme exécrable) et la grande différence dans le traitement de ce thème : le Barbouillé utilise un style simple et révèle une naïveté foncière, alors que George Dandin, par la vigueur de son analyse et la qualité du style, se présente comme un personnage évolué, capable de rattacher son cas à une analyse pertinente d'un problème social.

2. Les inconvénients entraînés par des alliances disproportionnées ne sont pas, toutefois, un thème original dans la comédie. Déjà, dans *les Nuées* d'Aristophane, on voyait le paysan Strepsiade se lamenter de son mariage avec une citadine trop consciente d'une naissance illustre (vers 41-55) : « Ah ! que n'a-t-elle péri très misérablement, la marieuse qui me monta la tête pour me faire épouser la nièce de Mégaclès, moi campagnard, une citadine, une demoiselle, une mijaurée... » (Traduction Van Daele, éd. Les Belles Lettres).

Il faut également citer Plaute (*Aulularia*, vers 184-196 et 226-235), bien que la différence entre les époux soit une différence de fortune et non de condition sociale.

Enfin, la farce médiévale de *George le Veau* évoque une situation analogue à celle de notre pièce.

3. Notons que Molière fera jouer, deux ans plus tard, *le Bourgeois gentilhomme* dont certaines situations ne manquent pas d'analogie avec *George Dandin*. Si le héros de notre comédie n'est qu'un paysan, il suffit de le comparer à Lubin, autre paysan, pour se rendre compte de son niveau social et intellectuel : il est en fait plus proche de la bourgeoisie que des paysans, ce qui rend vraisemblable l'ambition matrimoniale qui a fait son malheur.

LUBIN. — Motus[1] ! Il ne faut pas dire que vous m'ayez vu sortir de là.

GEORGE DANDIN. — Pourquoi? 40

LUBIN. — Mon Dieu! parce...

GEORGE DANDIN. — Mais encore?

LUBIN. — Doucement. J'ai peur qu'on ne nous écoute.

GEORGE DANDIN. — Point, point.

LUBIN. — C'est que je viens de parler à la maîtresse du logis, de la 45 part d'un certain Monsieur qui lui fait les doux yeux, et il ne faut pas qu'on sache cela. Entendez-vous?

GEORGE DANDIN. — Oui.

LUBIN. — Voilà la raison. On m'a enchargé[2] de prendre garde que personne ne me vît; et je vous prie, au moins, de ne pas dire que 50 vous m'ayez vu.

GEORGE DANDIN. — Je n'ai garde.

LUBIN. — Je suis bien aise de faire les choses secrètement, comme on m'a recommandé.

GEORGE DANDIN. — C'est bien fait. 55

LUBIN. — Le mari, à ce qu'ils disent, est un jaloux qui ne veut pas qu'on fasse l'amour[3] à sa femme, et il ferait le diable à quatre, si cela venait à ses oreilles : vous comprenez bien?

GEORGE DANDIN. — Fort bien.

LUBIN. — Il ne faut pas qu'il sache rien de tout ceci. 60

GEORGE DANDIN. — Sans doute.

LUBIN. — On le[4] veut tromper tout doucement : vous entendez bien?

GEORGE DANDIN. — Le mieux du monde.

LUBIN. — Si vous alliez dire que vous m'avez vu sortir de chez lui, vous gâteriez toute l'affaire : vous comprenez bien? 65

GEORGE DANDIN. — Assurément. Hé! comment nommez-vous celui qui vous a envoyé là dedans?

LUBIN. — C'est le seigneur de notre pays, Monsieur le Vicomte de chose... Foin[5] ! je ne me souviens jamais comment diantre ils baragouinent[6] ce nom-là, Monsieur Cli... Clitandre. 70

---

1. Terme du langage familier par lequel on recommande le silence à quelqu'un. Exemple unique chez Molière et dans la langue classique. Le Dictionnaire de Littré cite également un exemple emprunté à l'auteur comique Hauteroche, contemporain de Molière :
   « Mais, *motus*, je saurai cacher la vérité. »
— 2. Encharger : terme vieilli = donner la charge, la recommandation. Seul exemple chez Molière. — 3. *Fasse* la cour; « c'est aimer d'une passion déclarée et connue à la personne que l'on aime, à laquelle on continue de la témoigner par les assiduités et les autres complaisances des amants » (*Dict. de l'Acad.*, 1694). — 4. L'usage classique est de placer le pronom personnel avant l'auxiliaire. — 5. « Sorte d'interjection qui marque le dépit et la colère » (*Dict. de l'Acad.*, 1694). On en trouve trois exemples chez Molière (cf. *le Dépit amoureux* et *l'Étourdi*). — 6. *Baragouiner* : prononcer d'une façon inintelligible. Seul exemple chez Molière. Mais on y trouve aussi, trois et deux fois, *baragouin* et *baragouineux*.

GEORGE DANDIN. — Est-ce ce jeune courtisan qui demeure...

LUBIN. — Oui; auprès de ces arbres.

GEORGE DANDIN, *à part.* — C'est pour cela que depuis peu ce Damoiseau[1] poli s'est venu loger contre moi[2] ; j'avais bon nez, sans doute, et son voisinage déjà m'avait donné quelque soupçon.   75

LUBIN. — Tétigué[3]! c'est le plus honnête homme[4] que vous ayez jamais vu. Il m'a donné trois pièces d'or pour aller dire seulement à la femme qu'il est amoureux d'elle, et qu'il souhaite fort l'honneur de pouvoir lui parler. Voyez s'il y a là une grande fatigue pour me payer si bien, et ce qu'est, au prix de cela,   80 une journée de travail où je ne gagne que dix sols!

---

1. « Titre qu'on donnait autrefois aux jeunes gentilshommes... En ce sens, il est vieux » (*Dict. de l'Acad.*, 1694). « Aujourd'hui, il ne se dit qu'en riant et marque un jeune homme beau, mais un peu efféminé » (P. Richelet, *Dict. français*, 1680). — 2. Auprès de *moi.* — 3. *Tétigué*, et plus loin (l. 99) *tétiguienne* = déformation de « Tête-Dieu ». — 4. Ici, sens affaibli : civil, courtois.

■■

- **Acte I, scène 2 : trois centres d'intérêt**

— *Intérêt psychologique :* Bien qu'à peine esquissé, le caractère de LUBIN est joliment dessiné : la naïveté, le contentement de soi, le désir maladroit de faire une bonne affaire en se mettant au service du seigneur du pays — sans se soucier de la moralité de ses actes — et en projetant un mariage avec Claudine, dont la finesse l'a ébloui. L'analyse psychologique débouche ici sur une peinture satirique des mœurs paysannes. GEORGE DANDIN, de son côté, a la patience d'écouter Lubin et révèle une certaine maîtrise de lui-même.

— *Intérêt dramatique :* cette scène permet à l'action de s'engager vraiment, en incitant George Dandin à se mettre en travers des machinations que Lubin lui a révélées.

— *Intérêt comique :*

a) *Comique de gestes*, dans la première partie de la scène, où les deux personnages hésitent à se saluer, puis sont rapprochés par une curiosité réciproque, beaucoup plus gratuite d'ailleurs chez Lubin que chez George Dandin.

b) *Comique de mots :* noter la brièveté des exclamations du début, l'insistance de Lubin sur le secret de sa mission et sur la discrétion de son attitude, une certaine vulgarité familière des propos.

c) *Comique de situation :* le quiproquo est un procédé comique traditionnel. Molière l'avait utilisé dans une situation analogue à la scène 4 de l'acte I de *l'École des femmes* (cf. vers 353-354) :

> « ...Derechef, veuillez être discret,
>
> Et n'allez pas, de grâce, éventer mon secret. »

■■

GEORGE DANDIN. — Hé bien! avez-vous fait votre message?

LUBIN. — Oui, j'ai trouvé là dedans une certaine Claudine, qui, tout du premier coup, a compris ce que je voulais, et qui m'a fait parler à sa maîtresse. 85

GEORGE DANDIN, *à part.* — Ah! coquine de servante!

LUBIN. — Morguienne[1]! Cette Claudine-là est tout à fait jolie[2], elle a gagné mon amitié, et il ne tiendra qu'à elle que nous ne soyons mariés ensemble.

GEORGE DANDIN. — Mais quelle réponse a fait[3] la maîtresse à ce 90 Monsieur le courtisan?

LUBIN. — Elle m'a dit de lui dire... attendez, je ne sais si je me souviendrai bien de tout cela... qu'elle lui est tout à fait obligée de l'affection qu'il a pour elle, et qu'à cause de son mari, qui est fantasque[4], il garde d'en rien faire paraître, et qu'il faudra songer 95 à chercher quelque invention pour se pouvoir entretenir tous deux.

GEORGE DANDIN, *à part.* — Ah! pendarde de femme!

LUBIN. — Tétiguienne! cela sera drôle; car le mari ne se doutera point de la manigance, voilà ce qui est de bon; et il aura un pied 100 de nez avec sa jalousie : est-ce pas[5]?

GEORGE DANDIN. — Cela est vrai.

LUBIN. — Adieu. Bouche cousue, au moins. Gardez bien le secret, afin que le mari ne le sache pas.

GEORGE DANDIN. — Oui, oui. 105

LUBIN. — Pour moi, je vais faire semblant de rien : je suis un fin matois[6], et l'on ne dirait pas que j'y touche.

SCÈNE III. — GEORGE DANDIN, *seul* [a].

Hé bien! George Dandin, vous voyez de quel air[7] votre femme vous traite. Voilà ce que c'est d'avoir voulu épouser une Demoi-

a. *Var. Seul* est une addition de 1734.

1. Juron. Déformation de « Mort de Dieu » (cf. *tétigué* et *tétiguienne*). — 2. Mot à la mode au xviie siècle. S'emploie pour désigner l'élégance, la distinction, les qualités de finesse et d'intelligence dans la conversation, plus que pour évoquer l'agrément de la physionomie. — 3. La règle du Père Bouhours veut que le participe devienne « indéclinable au milieu d'un sens, pour empêcher la prononciation de languir et de traîner ». Il vaut mieux invoquer ce principe pour justifier l'absence de l'accord du participe, plutôt qu'une prétendue règle, trop souvent infirmée, selon laquelle l'accord ne se fait pas lorsque le participe est suivi du sujet du verbe. — 4. Sujet à des fantaisies. — 5. Suppression fréquente de la négation au xviie siècle, surtout dans la langue populaire. — 6. Un *matois*, dans l'ancienne langue, était un voleur. Le mot a fini par désigner, dans la langue familière du xviie siècle, un homme rusé et plein de finesse. Les deux autres emplois du mot chez Molière (dans *l'Étourdi* et *le Dépit amoureux*) sont au féminin : *la matoise*. — 7. *Air :* manière, façon.

selle [1] : l'on vous accommode de toutes pièces [2], sans que vous [110] puissiez vous venger, et la gentilhommerie [3] vous tient les bras liés. L'égalité de condition laisse du moins à l'honneur d'un mari la liberté de ressentiment; et, si c'était une paysanne, vous auriez maintenant toutes vos coudées franches à vous en faire la justice à bons coups de bâton. Mais vous avez voulu tâter de [115] la noblesse, et il vous ennuyait d'être maître chez vous. Ah! j'enrage de tout mon cœur, et je me donnerais volontiers des soufflets. Quoi! écouter impudemment l'amour d'un damoiseau [4], et y promettre en même temps de la correspondance [5]! Morbleu! je ne veux point laisser passer une occasion de la sorte. Il me [120] faut, de ce pas, aller faire mes plaintes au père et à la mère, et les rendre témoins, à telle fin que de raison [6], des sujets de chagrin et de ressentiment que leur fille me donne. Mais les voici l'un et l'autre fort à propos.

SCÈNE IV. — MONSIEUR ET MADAME DE SOTENVILLE, GEORGE DANDIN.

MONSIEUR DE SOTENVILLE. — Qu'est-ce, mon gendre? vous me [125] paraissez tout troublé.

GEORGE DANDIN. — Aussi en ai-je du sujet, et...

MADAME DE SOTENVILLE. — Mon Dieu! notre gendre, que vous avez peu de civilité de ne pas saluer les gens quand vous les approchez! [130]

GEORGE DANDIN. — Ma foi! ma belle-mère, c'est que j'ai d'autres choses en tête, et...

MADAME DE SOTENVILLE. — Encore! Est-il possible, notre gendre, que vous sachiez si peu votre monde [7], et qu'il n'y ait pas moyen de vous instruire de la manière qu'il faut vivre parmi les personnes [135] de qualité?

GEORGE DANDIN. — Comment?

MADAME DE SOTENVILLE. — Ne vous déferez-vous jamais, avec moi, de la familiarité de ce mot de « ma belle-mère », et ne sauriez-vous vous accoutumer à me dire « Madame »? [140]

1. Voir p. 27, note 1. — 2. De toutes sortes de méchants tours. *Pièce* signifie, dans ce sens : tromperie, petit complot, comparable à une pièce de théâtre. Vaugelas avait sévèrement blâmé l'emploi de cette tournure en 1647, mais l'expression est abondamment attestée au XVIIe siècle. — 3. Voir *paysannerie*, p. 27, note 6. — 4. Voir p. 31, note 1. — 5. De la réciprocité de sentiments. « Sympathie, mutuelle intelligence » (*Dict. de l'Acad.*, 1694). — 6. Pour recevoir réparation (langage juridique). — 7. Les usages du *monde*. *Savoir son monde* signifie : savoir vivre et se conduire dans le monde. On dit dans le même sens « avoir du monde », et au contraire « manquer de monde, être sans monde ».

GEORGE DANDIN. — Parbleu ! si vous m'appelez votre gendre, il me semble que je puis vous appeler ma belle-mère.

MADAME DE SOTENVILLE. — Il y a fort à dire, et les choses ne sont pas égales. Apprenez, s'il vous plaît, que ce n'est pas à vous à vous servir de ce mot-là avec une personne de ma condition ; que, [145] tout notre gendre que vous soyez, il y a grande différence de vous à nous, et que vous devez vous connaître [1].

MONSIEUR DE SOTENVILLE. — C'en est assez, mamour [2], laissons cela.

MADAME DE SOTENVILLE. — Mon Dieu ! Monsieur de Sotenville, vous avez des indulgences qui n'appartiennent qu'à vous, et vous ne [150] savez pas vous faire rendre par les gens ce qui vous est dû.

MONSIEUR DE SOTENVILLE. — Corbleu [3] ! pardonnez-moi, on ne peut point me faire de leçons là-dessus, et j'ai su montrer en ma vie, par vingt actions de vigueur, que je ne suis point homme à démordre jamais d'un pouce de mes prétentions. Mais il suffit [155] de lui avoir donné un petit avertissement. Sachons un peu, mon gendre, ce que vous avez dans l'esprit.

GEORGE DANDIN. — Puisqu'il faut donc parler catégoriquement, je vous dirai, Monsieur de Sotenville, que j'ai lieu de...

MONSIEUR DE SOTENVILLE. — Doucement, mon gendre. Apprenez [160] qu'il n'est pas respectueux d'appeler les gens par leur nom, et qu'à ceux qui sont au-dessus de nous il faut dire « Monsieur » tout court [4].

GEORGE DANDIN. — Hé bien ! Monsieur tout court, et non plus Monsieur de Sotenville, j'ai à vous dire que ma femme me donne... [165]

MONSIEUR DE SOTENVILLE. — Tout beau ! Apprenez aussi que vous ne devez pas dire « ma femme », quand vous parlez de notre fille.

GEORGE DANDIN. — J'enrage. Comment, ma femme n'est pas ma femme ?

MADAME DE SOTENVILLE. — Oui, notre gendre, elle est votre femme ; [170] mais il ne vous est pas permis de l'appeler ainsi, et c'est tout ce que vous pourriez faire, si vous aviez épousé une de vos pareilles.

---

1. *Connaître* : avoir connaissance, avoir conscience. *Vous connaître* signifie donc : prendre conscience de ce que vous êtes, de votre condition. — 2. *Mamour* « est un mot composé de *ma* ou *mon* et *amour*, duquel l'homme blandit et caresse celle qu'il aime » (Nicot, 1606, cité par Despois et Mesnard, éd. des Grands écrivains de la France, tome VI, p. 517, note 2). — 3. Sorte de juron : par le corps de Dieu ! La langue littéraire atteste la déformation progressive de l'expression depuis le XIIᵉ siècle : « le cors Dieu » ; « par le cuer beu » ; « par le corps bieu » (XVᵉ siècle). — 4. Cette règle de politesse est encore valable. « C'est une incivilité, dit Antoine de Courtin dans son *Nouveau Traité de la civilité qui se pratique en France parmi les honnêtes gens* (1695, chap. V, p. 28), de joindre après le *Monsieur* ou le *Madame*, le surnom ou la qualité de la personne à qui on parle. » Un autre auteur précise qu'il ne convient d'ajouter à *Monsieur* le nom de la personne à qui l'on parle, que si l'on veut lui marquer du mépris.

GEORGE DANDIN, *à part.* — Ah! George Dandin! où t'es-tu fourré? *(Haut.)* Eh! de grâce, mettez, pour un moment, votre gentil- 175 hommerie à côté[1], et souffrez que je vous parle maintenant comme je pourrai. *(A part.)* Au diantre soit la tyrannie de toutes ces histoires-là! *(A Monsieur de Sotenville.)* Je vous dis donc que je suis mal satisfait de mon mariage.

MONSIEUR DE SOTENVILLE. — Et la raison, mon gendre? 180

MADAME DE SOTENVILLE. — Quoi? parler ainsi d'une chose dont vous avez tiré de si grands avantages?

GEORGE DANDIN. — Et quels avantages, Madame, puisque Madame y a? L'aventure n'a pas été mauvaise pour vous, car, sans moi, vos affaires, avec votre permission, étaient fort délabrées, et 185 mon argent a servi à reboucher d'assez bons trous; mais moi, de quoi y ai-je profité, je vous prie, que[2] d'un allongement de nom, et, au lieu de George Dandin, d'avoir reçu par vous le titre de Monsieur de la Dandinière[3]?

MONSIEUR DE SOTENVILLE. — Ne comptez-vous pour rien, mon gendre, 190 l'avantage d'être allié à la maison de Sotenville?

MADAME DE SOTENVILLE. — Et à celle de la Prudoterie[4], dont j'ai l'honneur d'être issue, maison où le ventre anoblit, et qui, par ce beau privilège, rendra vos enfants gentilshommes[5]?

GEORGE DANDIN. — Oui, voilà qui est bien, mes enfants seront gentils- 195 hommes; mais je serai cocu, moi, si l'on n'y met ordre.

MONSIEUR DE SOTENVILLE. — Que veut dire cela, mon gendre?

GEORGE DANDIN. — Cela veut dire que votre fille ne vit pas comme il faut qu'une femme vive, et qu'elle fait des choses qui sont contre l'honneur. 200

MADAME DE SOTENVILLE. — Tout beau! prenez garde à ce que vous dites. Ma fille est d'une race trop pleine de vertu, pour se porter jamais à faire aucune chose dont l'honnêteté soit blessée; et,

---

1. *Mettez votre gentilhommerie* de côté. Il s'agit sans doute d'un provincialisme. — 2. L'emploi elliptique de *que* (= si ce n'est) est fréquemment attesté chez les auteurs du XVIIᵉ siècle. — 3. C'était un usage répandu au XVIIᵉ siècle que d'ajouter à son nom propre un nom dérivé de celui d'une terre. Personne n'y trouvait à redire, et seul l'usage usurpé des titres nobiliaires était poursuivi. « Le titre était tellement, sous l'ancienne monarchie, le seul et véritable titre de la naissance qu'on n'a pas poursuivi, à cette époque, ceux qui prenaient des noms de seigneuries et des particules » (Biston, *De la fausse noblesse en France*, 1861; cité par Despois et Mesnard, *op. cit.*, p. 519, n. 6). — 4. Ce nom, plaisant et évocateur, sera repris par La Fontaine (*Contes*, V, 6) :

« D'elle descendent ceux de la Prudoterie,
Antique et célèbre maison. »

— 5. Allusion à une coutume de la Champagne, où les femmes nobles mariées à des roturiers pouvaient transmettre leur noblesse à leurs enfants : « Le ventre affranchit et anoblit », disait la coutume de Châlons. Mais Mᵐᵉ de Sotenville va encore plus loin, puisqu'elle estime avoir transmis ce pouvoir à sa fille, qui ne porte pourtant pas le nom de *Prudoterie.*

de la maison de la Prudoterie, il y a plus de trois cents ans qu'on n'a pas remarqué qu'il y ait eu une femme, Dieu merci, qui ait fait parler d'elle[1]. [205]

MONSIEUR DE SOTENVILLE. — Corbleu[2]! dans la maison de Sotenville on n'a jamais vu de coquette, et la bravoure n'y est pas plus héréditaire aux mâles que la chasteté aux femelles[3].

MADAME DE SOTENVILLE. — Nous avons eu une Jacqueline de la [210] Prudoterie qui ne voulut jamais être la maîtresse d'un duc et pair, gouverneur de notre province.

MONSIEUR DE SOTENVILLE. — Il y a eu une Mathurine de Sotenville qui refusa vingt mille écus d'un favori du roi, qui ne lui demandait seulement que la faveur de lui parler[4]. [215]

GEORGE DANDIN. — Oh bien! votre fille n'est pas si difficile que cela, et elle s'est apprivoisée depuis qu'elle est chez moi.

MONSIEUR DE SOTENVILLE. — Expliquez-vous, mon gendre. Nous ne sommes point gens à la supporter[5] dans de mauvaises actions, et nous serons les premiers, sa mère et moi, à vous en faire la [220] justice.

MADAME DE SOTENVILLE. — Nous n'entendons point raillerie sur les matières de l'honneur, et nous l'avons élevée dans toute la sévérité possible.

GEORGE DANDIN. — Tout ce que je vous puis dire, c'est qu'il y a [225] ici un certain courtisan que vous avez vu, qui est amoureux d'elle à ma barbe, et qui lui a fait faire des protestations d'amour qu'elle a très humainement écoutées.

MADAME DE SOTENVILLE. — Jour de Dieu! je l'étranglerais de mes propres mains, s'il fallait qu'elle forlignât[6] de l'honnêteté de [230] sa mère.

MONSIEUR DE SOTENVILLE. — Corbleu[7]! je lui passerais mon épée au travers du corps, à elle et au galant, si elle avait forfait[8] à son honneur.

GEORGE DANDIN. — Je vous ai dit ce qui se passe pour vous faire [235] mes plaintes, et je vous demande raison de cette affaire-là.

MONSIEUR DE SOTENVILLE. — Ne vous tourmentez point, je vous la

---

1. Noter l'ambiguïté de la tournure, encore en usage au début du XXᵉ siècle. — 2. Voir p. 34, note 3. — 3. *Mâles, femelles* : langue des généalogistes. — 4. *Ne ... seulement que* : pléonasme fréquent dans la langue du XVIIᵉ siècle (particulièrement attesté chez Racine et La Bruyère). — 5. *Supporter* = prendre le parti de, soutenir. Sens vieilli et, de toute façon, rare. — 6. *Forligner* : s'éloigner de la *ligne* droite, sortir de la ligne de sa race, de la ligne du devoir. Mot rare et archaïque (seul emploi chez Molière). Il s'agit (comme *forfaire*, à la réplique suivante), de termes empruntés au langage de la chevalerie et de la science héraldique. — 7. Voir p. 34, note 3. — 8. *Forfaire* : même remarque que pour *forligner* (seul emploi également chez Molière). S'emploie aussi, au XVIIᵉ siècle, pour désigner « la prévarication d'un magistrat » ou le « désordre d'une fille » (*Dict. de l'Acad.*, 1694).

■■

● **Acte I, scène 3.** — Nouveau monologue de George Dandin : le mari bafoué reprend les thèmes de son premier monologue (p. 27), avec l'amère satisfaction de voir confirmées toutes ses craintes. Il continue à se prendre lui-même à témoin de ses infortunes :

① Quel effet produit ce procédé de style?

Le problème social de la mésalliance est envisagé par George Dandin sous un angle très particulier : il reproche surtout à sa femme et à ses beaux-parents de faire obstacle à des voies de fait qui calmeraient sa colère et vengeraient son honneur.

② Analysez le comique de cette réaction.

③ Montrez que le langage de George Dandin aussi bien que ses sentiments, sont ceux d'un rustre.

④ Pourquoi George Dandin est-il obsédé par la pensée de convaincre ses beaux-parents?

● **Acte I, scène 4.** — Il faut rapprocher le début de cette scène du début de la scène 2 de *la Jalousie du Barbouillé* :

> LE DOCTEUR. — Il faut que tu sois bien mal appris, bien lourdaud, et bien mal morigéné, mon ami, puisque tu m'abordes sans ôter ton chapeau, sans observer *rationem loci, temporis et personae* [la règle du lieu, du temps et de la personne]. Quoi! débuter d'abord par un discours mal digéré, au lieu de dire : *Salve, vel salvus sis, Doctor, Doctorum eruditissime.* Hé! pour qui me prends-tu, mon ami?
> LE BARBOUILLÉ. — Ma foi, excusez-moi, c'est que j'avais l'esprit en écharpe, et je ne songeais pas à ce que je faisais; mais je sais bien que vous êtes galant homme.

Mais le jeu de scène est tout à fait gratuit, alors que, dans *George Dandin*, la prétention et la sottise des Sotenville, révélées dès leur apparition, sont essentielles à la construction dramatique.

① Montrez que les leçons de savoir-vivre des Sotenville sont comiques parce qu'elles sont déplacées, et non comiques en elles-mêmes.

② Étudiez la satire sociale de la petite noblesse.

③ Notez le réalisme et la brutalité des propos de George Dandin, et leur contraste avec les paroles de ses beaux-parents.

La scène se divise en deux moments : après un affrontement entre les Sotenville et George Dandin, ce dernier croit triompher et pouvoir rabattre les prétentions de ses beaux-parents en leur révélant l'indignité d'Angélique. Il déclenche aussitôt les réflexes généalogiques des Sotenville.

④ Mettez en valeur le burlesque de leurs paroles.

⑤ Étudiez l'archaïsme voulu des paroles et des sentiments chez les Sotenville.

⑥ Analysez le comique de mots, le comique de mœurs et le comique de caractères dans l'ensemble de la scène.

■■

ferai de tous deux, et je suis homme pour serrer le bouton[1]
à qui que ce puisse être. Mais êtes-vous bien sûr aussi de ce que
vous nous dites?   240

GEORGE DANDIN. — Très sûr.

MONSIEUR DE SOTENVILLE. — Prenez bien garde, au moins; car, entre
gentilshommes, ce sont des choses chatouilleuses[2], et il n'est
pas question d'aller faire ici un pas de clerc[3].

GEORGE DANDIN. — Je ne vous ai rien dit, vous dis-je, qui ne soit[245]
véritable.

MONSIEUR DE SOTENVILLE. — Mamour, allez-vous-en parler à votre
fille, tandis qu'avec mon gendre j'irai parler à l'homme.

MADAME DE SOTENVILLE. — Se pourrait-il, mon fils[4], qu'elle s'oubliât
de la sorte, après le sage exemple que vous savez vous-même[250]
que je lui ai donné?

MONSIEUR DE SOTENVILLE. — Nous allons éclaircir l'affaire. Suivez-
moi, mon gendre, et ne vous mettez pas en peine. Vous verrez
de quel bois nous nous chauffons lorsqu'on s'attaque à ceux qui
nous peuvent appartenir[5].   255

GEORGE DANDIN. — Le voici qui vient vers nous.

SCÈNE V. — MONSIEUR DE SOTENVILLE, CLITANDRE,
GEORGE DANDIN.

MONSIEUR DE SOTENVILLE. — Monsieur, suis-je connu de vous?

CLITANDRE. — Non pas, que je sache, Monsieur.

MONSIEUR DE SOTENVILLE. — Je m'appelle le baron de Sotenville.

CLITANDRE. — Je m'en réjouis fort.   260

MONSIEUR DE SOTENVILLE. — Mon nom est connu à la Cour, et j'eus
l'honneur, dans ma jeunesse, de me signaler des premiers à
l'arrière-ban[6] de Nancy[7].

CLITANDRE. — A la bonne heure.

---

1. Le *bouton* est, en termes de manège, la boucle de cuir qui coule le long des rênes
et les resserre. *Serrer le bouton* signifie donc : tenir la bride serrée. — 2. *Choses* délicates,
sur lesquelles l'honneur est chatouilleux. — 3. Expression proverbiale encore très vivante;
cf. Molière, *le Dépit amoureux*, vers 300. — 4. Terme d'affection fréquemment employé
avec cette valeur au XVIIe siècle. — 5. *Appartenir :* soit « être parent » (« il appartient aux
plus grands seigneurs du Royaume », *Dict. de l'Acad.*, 1694); soit « être attaché à quelqu'un, être domestique de quelqu'un » (*ibid.*). Il s'agit donc d'une personne dont les
relations avec un grand seigneur font toute l'importance. — 6. Le *ban* désigne la convocation des vassaux directs du roi pour un service militaire; l'*arrière-ban*, la convocation et
l'assemblée de tous les nobles d'une province. — 7. Il s'agit sans doute de l'arrière-ban
convoqué en 1635 pour être, sous le duc d'Angoulême, envoyé en Lorraine, et dont une
partie renforça la garnison de Nancy. Sa conduite fut rien moins que glorieuse : tous ces
gentilshommes encombrés d'ornements et entourés d'une suite nombreuse formèrent une
armée brillante, mais indisciplinée, vite lasse et souvent ridicule.

MONSIEUR DE SOTENVILLE. — Monsieur mon père [a], Jean-Gilles de [265]
Sotenville, eut la gloire d'assister en personne au grand siège
de Montauban [1].

CLITANDRE. — J'en suis ravi.

MONSIEUR DE SOTENVILLE. — Et j'ai eu un aïeul, Bertrand de
Sotenville, qui fut si considéré en son temps, que d'avoir [2] permis- [270]
sion de vendre tout son bien pour le voyage d'outre-mer [3].

CLITANDRE. — Je veux le croire.

MONSIEUR DE SOTENVILLE. — Il m'a été rapporté, Monsieur, que vous
aimez et poursuivez une jeune personne, qui est ma fille, pour
laquelle je m'intéresse *(montrant George Dandin* [b]*)*, et pour [4] [275]
l'homme que vous voyez, qui a l'honneur d'être mon gendre.

CLITANDRE. — Qui? moi?

MONSIEUR DE SOTENVILLE. — Oui; et je suis bien aise de vous parler,
pour tirer de vous, s'il vous plaît, un éclaircissement de cette
affaire. [280]

CLITANDRE. — Voilà une étrange médisance! Qui vous a dit cela,
Monsieur?

MONSIEUR DE SOTENVILLE. — Quelqu'un qui croit le bien savoir.

CLITANDRE. — Ce quelqu'un-là en a menti. Je suis honnête homme [5].
Me croyez-vous capable, Monsieur, d'une action aussi lâche que [285]
celle-là? Moi, aimer une jeune et belle personne qui a l'honneur
d'être la fille de Monsieur le baron de Sotenville! je vous révère
trop pour cela, et suis trop votre serviteur. Quiconque vous l'a dit
est un sot.

MONSIEUR DE SOTENVILLE. — Allons, mon gendre. [290]

GEORGE DANDIN. — Quoi?

CLITANDRE. — C'est un coquin et un maraud.

MONSIEUR DE SOTENVILLE, *à George Dandin.* — Répondez.

GEORGE DANDIN. — Répondez vous-même.

CLITANDRE. — Si je savais qui ce peut être, je lui donnerais, en [295]
votre présence, de l'épée dans le ventre.

MONSIEUR DE SOTENVILLE, *à George Dandin.* — Soutenez donc la
chose.

a. *Var.* Les éditions anciennes portent *Monsieur, mon père.* L'édition de 1734 a supprimé
la virgule. — b. Les indications scéniques sont des additions de 1734 (cette remarque vaut
pour toute la pièce, sauf exception signalée).

1. *Montauban* fut assiégé par Louis XIII en 1621, alors que les calvinistes l'occupaient,
mais le roi dut lever le siège, sans gloire, à cause de la mésentente de ses généraux. — 2. *Qui
fut* à ce point *considéré* qu'il eut *permission.* — 3. *Le voyage d'outre-mer :* tous les commen-
tateurs citent à ce propos une lettre de J.-B. Rousseau à Brossette, datée du 29 juillet 1740,
dans laquelle il est dit que « tout le monde fit l'application [de ce passage] à M. de la Feuillade
qui, en ce temps-là, s'avisa de mener en Candie à ses dépens une centaine de gentilshommes
équipés pour combattre contre les Turcs pendant le siège de cette île ». — 4. *S'intéresser
pour :* prendre parti pour; *et pour* = ainsi que pour. — 5. Homme d'honneur.

GEORGE DANDIN. — Elle est toute soutenue, cela est vrai.

CLITANDRE. — Est-ce votre gendre, Monsieur, qui... 300

MONSIEUR DE SOTENVILLE. — Oui, c'est lui-même qui s'en est plaint
à moi.

CLITANDRE. — Certes, il peut remercier l'avantage [1] qu'il a de vous
appartenir [2]; et, sans cela, je lui apprendrais bien à tenir de pareils
discours d'une personne comme moi. 305

SCÈNE VI. — MONSIEUR ET MADAME DE SOTENVILLE,
ANGÉLIQUE, CLITANDRE, GEORGE DANDIN, CLAUDINE.

MADAME DE SOTENVILLE. — Pour ce qui est de cela, la jalousie est
une étrange chose! J'amène ici ma fille pour éclaircir l'affaire
en présence de tout le monde.

CLITANDRE, *à Angélique*. — Est-ce donc vous, Madame, qui avez dit
à votre mari que je suis amoureux de vous? 310

ANGÉLIQUE. — Moi? et comment lui aurais-je dit [3]? est-ce que cela est?
Je voudrais bien le voir vraiment [a] que vous fussiez amoureux
de moi! Jouez-vous-y, je vous en prie, vous trouverez à qui parler.
C'est une chose que je vous conseille de faire. Ayez recours, pour
voir, à tous les détours des amants : essayez un peu, par plaisir, 315
à m'envoyer des ambassades [4], à m'écrire secrètement de petits
billets doux, à épier les moments que mon mari n'y sera pas, ou
le temps que je sortirai, pour me parler de votre amour. Vous
n'avez qu'à y venir, je vous promets que vous serez reçu comme
il faut. 320

a. *Var*. Des virgules sont ajoutées en 1734 avant et après *vraiment*.

1. Rendre grâce à *l'avantage*. Unique emploi du verbe en ce sens. — 2. *Appartenir :*
voir l. 255. — 3. *Comment* le *lui aurais-je dit*. Ellipse fréquente du pronom complément direct. — 4. *Ambassade :* commission, message entre particuliers.

■■

● **Acte I, scène 5.** — La scène se divise en deux moments :
— d'abord l'accusation, étayée, dans l'esprit de M. de Sotenville,
par les références généalogiques du plaignant;
— ensuite la défense de Clitandre.

L'accusation : le comique naît de la naïveté de M. de Sotenville qui
croit impressionner Clitandre en énumérant les titres de gloire de ses
ancêtres.

① Analysez d'ailleurs la modestie de ce qu'il présente comme action
d'éclat.

② Relevez les archaïsmes du langage de Sotenville.

③ Étudiez l'effet comique produit par la feinte politesse des brèves réponses de Clitandre.

La défense se borne à une dénégation imprécise, vite renforcée par de violentes insultes contre l'accusateur. Que penser de l'attitude de Clitandre? Est-elle d'un homme d'honneur? Sa colère est-elle réelle ou feinte? Noter le comique du jeu de scène lorsque M. de Sotenville et George Dandin se renvoient la balle pour répondre.

④ Après cette brève hésitation, et malgré la menace de Clitandre, George Dandin maintient son accusation : que peut-on en déduire pour le caractère du personnage?

Quant à Clitandre, sa dernière réplique doit être considérée comme un faux-fuyant, et l'arrivée de Madame de Sotenville le sort d'un mauvais pas.

● **Acte I, scène 6.** — Cette scène met en valeur l'habileté d'Angélique et la maladresse de son époux. Dans un **premier mouvement,** Angélique et Clitandre échangent des mots doux sous le couvert d'une dispute : l'une en profite pour dicter sa conduite à Clitandre, tandis que ce dernier joue un rôle beaucoup plus passif, qui nous confirme la fadeur du personnage. Ce procédé par lequel deux amants usent d'un langage équivoque pour communiquer en présence de tiers, est fréquent chez Molière : cf. *l'École des maris*, II, 9; *l'Étourdi*, I, 4; *le Malade imaginaire*, II, 5; *l'Avare*, III, 7. On doit toutefois noter la grande différence qui sépare une jeune fille désireuse d'échapper au mariage avec un barbon, d'une femme mariée, comme Angélique, qui songe seulement à jouer son mari, sans le moindre motif passionnel authentique. *George Dandin* est la seule pièce où Molière nous ait présenté un véritable adultère, ce que Rousseau n'a pas manqué de lui reprocher : « Quel est le plus criminel d'un paysan assez fou pour épouser une Demoiselle, ou d'une femme qui cherche à déshonorer son époux? » (*Lettre à d'Alembert*, Genève, Droz, 1948, p. 47.)

Le **deuxième mouvement** de la scène fait ressortir la violence un peu vulgaire de George Dandin.

⑤ Est-il vraiment de force à lutter avec Angélique?

⑥ Étudiez le vocabulaire populaire dans les répliques de George Dandin.

⑦ Montrez comment Angélique justifie son nom, à la fin de la scène, par sa tristesse et sa patience feintes. Analysez le contraste de son langage avec celui de son mari.

Une fois de plus, chez Molière, le bon sens et la droiture ne sont pas chez les habiles mais dans le peuple. Claudine, qui calque son attitude sur celle de sa maîtresse, est le type de la femme du peuple pervertie par les grands.

Mais il ne faut pas pousser trop loin cette analyse, et le jeu des acteurs, grossissant le caractère colérique de George Dandin et l'invraisemblance du dialogue entre les deux amants, doit surtout faire ressortir le comique de la situation.

CLITANDRE. — Hé! la, la, Madame, tout doucement. Il n'est pas
nécessaire de me faire tant de leçons, et de vous tant scandaliser.
Qui vous dit que je songe à vous aimer?

ANGÉLIQUE. — Que sais-je, moi, ce qu'on me vient conter ici?

CLITANDRE. — On dira ce que l'on voudra; mais vous savez si je vous [325]
ai parlé d'amour, lorsque je vous ai rencontrée.

ANGÉLIQUE. — Vous n'aviez qu'à le faire, vous auriez été bien venu!

CLITANDRE. — Je vous assure qu'avec moi vous n'avez rien à
craindre; que je ne suis point homme à donner du chagrin aux
belles; et que je vous respecte trop, et vous, et Messieurs vos [330]
parents, pour avoir la pensée d'être amoureux de vous.

MADAME DE SOTENVILLE, *à George Dandin*. — Hé bien! vous le voyez.

MONSIEUR DE SOTENVILLE. — Vous voilà satisfait [1], mon gendre.
Que dites-vous à cela?

GEORGE DANDIN. — Je dis que ce sont là des contes à dormir debout; [335]
que je sais bien ce que je sais, et que tantôt, puisqu'il faut parler
net, elle a reçu une ambassade [2] de sa part.

ANGÉLIQUE. — Moi, j'ai reçu une ambassade?

CLITANDRE. — J'ai envoyé une ambassade?

ANGÉLIQUE. — Claudine! [340]

CLITANDRE, *à Claudine*. — Est-il vrai?

CLAUDINE. — Par ma foi, voilà une étrange fausseté!

GEORGE DANDIN. — Taisez-vous, carogne [3] que vous êtes! Je sais de
vos nouvelles, et c'est vous qui tantôt avez introduit le courrier.

CLAUDINE. — Qui? moi? [345]

GEORGE DANDIN. — Oui, vous. Ne faites pas tant la sucrée [4].

CLAUDINE. — Hélas! que le monde aujourd'hui est rempli de méchanceté, de m'aller soupçonner ainsi, moi qui suis l'innocence même!

GEORGE DANDIN. — Taisez-vous, bonne pièce [5]! Vous faites la sour-
noise [6]; mais je vous connais il y a longtemps; et vous êtes une [350]
dessalée [7].

---

1. Dans le vocabulaire des affaires d'honneur, *satisfaire quelqu'un* signifie : lui donner
réparation. — 2. Voir p. 40, note 4. — 3. Charogne; injure très vulgaire. — 4. *Faire la
sucrée* signifie : avoir des manières affectées, jouer la modestie, l'innocence; cf. *l'Étourdi*,
vers 971 : « Elle fait la sucrée et veut passer pour prude. » — 5. *Bonne pièce* : bon
morceau, bon sujet (par antiphrase). Selon l'Académie : « une personne rusée, dissimulée,
malicieuse »; cf. Corneille, *le Menteur*, V, 5 : « Voyez la bonne pièce avec ses révé-
rences. » — 6. Vous vous comportez en personne dissimulée. — 7. Seul emploi, chez Molière,
de cette expression familière (attestée postérieurement chez La Fontaine et Voltaire).
Littré explique ainsi la tournure : « On peut conjecturer que, la morue ayant besoin d'être
dessalée pour être mangée, l'esprit a saisi cette circonstance pour donner à *dessalé* le sens
de bon à la chose, fin, rusé.» Mais on peut y voir plutôt une allusion à la perte de la
pureté et de la naïveté premières, de même qu'un aliment perd sa saveur originelle
lorsqu'il est trempé dans plusieurs eaux.

CLAUDINE, *à Angélique.* — Madame, est-ce que...?

GEORGE DANDIN. — Taisez-vous, vous dis-je, vous pourriez bien porter la folle enchère [1] de tous les autres; et vous n'avez point de père gentilhomme. 355

ANGÉLIQUE. — C'est une imposture si grande, et qui me touche si fort au cœur, que je ne puis pas même avoir la force d'y répondre. Cela est bien horrible, d'être accusée par un mari lorsqu'on ne lui fait rien qui ne soit à faire. Hélas! si je suis blâmable de quelque chose, c'est d'en user trop bien avec lui. 360

CLAUDINE. — Assurément.

ANGÉLIQUE. — Tout mon malheur est de le trop considérer; et plût au Ciel que je fusse capable de souffrir, comme il dit, les galanteries de quelqu'un! je ne serais pas tant à plaindre. Adieu; je me retire, et je ne puis plus endurer qu'on m'outrage de cette sorte. 365

Scène VII. — MONSIEUR et MADAME DE SOTENVILLE, CLITANDRE, GEORGE DANDIN, CLAUDINE [a].

MADAME DE SOTENVILLE, *à George Dandin.* — Allez, vous ne méritez pas l'honnête femme qu'on vous a donnée.

CLAUDINE. — Par ma foi! il mériterait qu'elle lui fît dire vrai; et, si j'étais en sa place, je n'y marchanderais pas [2]. *(A Clitandre.)* Oui, Monsieur, vous devez, pour le punir, faire l'amour [3] à ma maîtresse. Poussez, c'est moi qui vous le dis, ce sera fort bien employé [4]; et je m'offre à vous y servir, puisqu'il m'en a déjà taxée [5]. *(Claudine sort.)* 370

MONSIEUR DE SOTENVILLE. — Vous méritez, mon gendre, qu'on vous dise ces choses-là; et votre procédé met tout le monde contre vous. 375

MADAME DE SOTENVILLE. — Allez, songez à mieux traiter une demoiselle bien née, et prenez garde désormais à ne plus faire de pareilles bévues.

GEORGE DANDIN, *à part.* — J'enrage de bon cœur d'avoir tort, lorsque j'ai raison! 380

---

a. *Var.* Les éditions antérieures à 1734 prolongeaient la scène VI jusqu'à la dernière réplique de l'acte (scène IX en 1734). Le départ d'Angélique justifie ici le changement de scène.

---

1. *Folle enchère :* « une enchère trop haute et qu'on ne peut pas payer, ce qui force à une nouvelle enchère dont les frais sont à la charge de celui qui a fait la folle enchère » (Littré). — 2. *Y marchander* ou *marchander à :* hésiter, balancer (fréquent au XVIIᵉ siècle). — 3. Voir p. 30, note 3. — 4. *Fort bien* fait; expression fréquente chez Mᵐᵉ de Sévigné. — 5. *Puisqu'il m'en a déjà* accusée.

SCÈNE VIII. — MONSIEUR DE SOTENVILLE, CLITANDRE,
GEORGE DANDIN [a].

CLITANDRE, *à Monsieur de Sotenville*. — Monsieur, vous voyez comme
j'ai été faussement accusé : vous êtes homme qui savez les maximes
du point d'honneur, et je vous demande raison de l'affront qui
m'a été fait.

MONSIEUR DE SOTENVILLE. — Cela est juste, et c'est l'ordre des pro- [385]
cédés [1]. Allons, mon gendre, faites satisfaction à Monsieur [2].

GEORGE DANDIN. — Comment, satisfaction ?

MONSIEUR DE SOTENVILLE. — Oui, cela se doit dans les règles, pour
l'avoir à tort accusé.

GEORGE DANDIN. — C'est une chose, moi, dont je ne demeure pas [390]
d'accord, de l'avoir à tort accusé, et je sais bien ce que j'en pense.

MONSIEUR DE SOTENVILLE. — Il n'importe. Quelque pensée qui vous
puisse rester, il a nié : c'est satisfaire les personnes, et l'on n'a nul
droit de se plaindre de tout homme qui se dédit.

GEORGE DANDIN. — Si bien donc que si je le trouvais couché avec ma [395]
femme, il en serait quitte pour se dédire ?

MONSIEUR DE SOTENVILLE. — Point de raisonnement. Faites-lui les
excuses que je vous dis.

GEORGE DANDIN. — Moi ! je lui ferai encore des excuses après... ?

MONSIEUR DE SOTENVILLE. — Allons, vous dis-je. Il n'y a rien à [400]
balancer [3], et vous n'avez que faire d'avoir peur d'en trop faire,
puisque c'est moi qui vous conduis.

GEORGE DANDIN. — Je ne saurais...

MONSIEUR DE SOTENVILLE. — Corbleu [4] ! mon gendre, ne m'échauffez
pas la bile : je me mettrais avec lui contre vous. Allons, laissez-vous [405]
gouverner par moi.

GEORGE DANDIN, *à part*. — Ah ! George Dandin !

MONSIEUR DE SOTENVILLE. — Votre bonnet à la main, le premier :
Monsieur est gentilhomme, et vous ne l'êtes pas.

GEORGE DANDIN, *à part, le bonnet à la main*. — J'enrage ! [410]

MONSIEUR DE SOTENVILLE. — Répétez après moi : « Monsieur ».

GEORGE DANDIN. — Monsieur...

---

a. *Var.* Le départ de Mme de Sotenville, pendant l'aparté de George Dandin, justifie le
passage à une nouvelle scène, marqué seulement en 1734.

1. et 2. Le *procédé* est la façon dont une affaire d'honneur est menée, et il peut aboutir
au duel. Les procédés comportent les *éclaircissements* (explications) et les *satisfactions*
(réparations), et finissent donc par désigner toute la querelle, qu'elle en vienne ou non au
combat. — 3. Au sens actif : examiner ; construction tout à fait classique et fréquemment
attestée. — 4. Voir p. 34, note 3.

MONSIEUR DE SOTENVILLE. — « Je vous demande pardon. » *(Voyant que George Dandin fait difficulté de lui obéir* [a].) Ah!

GEORGE DANDIN. — Je vous demande pardon...   415

a. *Var.* Toutes ces indications scéniques datent de 1734, mais le texte de 1672 et 1682 portait déjà ici : « Il voit que son gendre fait difficulté de lui obéir. »

■■■

- **Acte I, scène 7**

  ① Étudiez le contraste comique entre la familiarité vulgaire de Claudine et le style compassé des Sotenville.

  ② Les deux répliques de Mme de Sotenville commencent par la même exhortation : montrez le comique de cette répétition, qui souligne le caractère borné du personnage, enfermé dans ses réflexions et inaccessible à la progression du dialogue.

  ③ A quoi George Dandin vous paraît-il surtout sensible, à l'insolence gouailleuse de Claudine ou aux conseils hautains de ses beaux-parents?

  ④ Analysez le comique des derniers mots de George Dandin.

- **Acte I, scène 8.** — On pourrait croire que Molière s'acharne sur George Dandin. Il ne lui suffisait pas de l'avoir bafoué, il faut encore qu'il le mette dans une situation humiliante, quasi insupportable pour le spectateur. On sait pourtant que les intentions de l'auteur sont de faire rire son public, et l'on doit surtout être sensible aux éléments comiques :
  — **comique de gestes :** le ballet grotesque des excuses, réglé par un maître de cérémonies, M. de Sotenville;
  — **comique de caractères :** noter la bêtise de Sotenville, et montrer comment la crainte qu'il inspire à son gendre peut seule permettre le déroulement de la scène.

  ⑤ Le personnage de Clitandre vous paraît-il comique? A-t-il un rôle de premier plan?

- **Acte I, scène 9.** — L'acte se clôt comme il avait commencé, par un monologue de George Dandin. Le personnage poursuit la réflexion commencée à la scène 3 : « Mais vous avez voulu tâter de la noblesse, et il vous ennuyait d'être maître chez vous. » Mais son indignation est telle qu'il bredouille et répète trois fois la formule *Vous l'avez voulu*, après quoi il exprime trois fois de suite la même idée, montrant par là qu'il ne trouve pas de mots assez forts pour traduire ses sentiments.

  ⑥ Il doit être facile à un acteur de faire ressortir le comique de ces répétitions : montrez-le.
  Cependant George Dandin ne désarme pas et son désir de *désabuser le père et la mère* paraît tourner à l'obsession : or un maniaque devient vite burlesque, d'autant qu'il nous paraît ici blessé dans son orgueil de gendre et non dans son cœur d'époux.

  ⑦ Étudiez comment le personnage échappe ainsi au drame.

■■■

MONSIEUR DE SOTENVILLE. — « Des mauvaises pensées que j'ai eues de vous. »

GEORGE DANDIN. — Des mauvaises pensées que j'ai eues de vous.

MONSIEUR DE SOTENVILLE. — « C'est que je n'avais pas l'honneur de vous connaître. »   420

GEORGE DANDIN. — C'est que je n'avais pas l'honneur de vous connaître.

MONSIEUR DE SOTENVILLE. — « Et je vous prie de croire. »

GEORGE DANDIN. — Et je vous prie de croire.

MONSIEUR DE SOTENVILLE. — « Que je suis votre serviteur. »   425

GEORGE DANDIN. — Voulez-vous que je sois serviteur d'un homme qui me veut faire cocu?

MONSIEUR DE SOTENVILLE, *le menaçant encore*. — Ah!

CLITANDRE. — Il suffit, Monsieur.

MONSIEUR DE SOTENVILLE. — Non, je veux qu'il achève, et que tout 430 aille dans les formes [1]. « Que je suis votre serviteur. »

GEORGE DANDIN. — Que je suis votre serviteur.

CLITANDRE, *à George Dandin*. — Monsieur, je suis le vôtre de tout mon cœur, et je ne songe plus à ce qui s'est passé. *(A Monsieur de Sotenville.)* Pour vous, Monsieur, je vous donne le bonjour, 435 et suis fâché du petit chagrin que vous avez eu.

MONSIEUR DE SOTENVILLE. — Je vous baise les mains [2]; et, quand il vous plaira, je vous donnerai le divertissement de courre [3] un lièvre.

CLITANDRE. — C'est trop de grâce [4] que vous me faites. *(Clitandre sort.)* 440

MONSIEUR DE SOTENVILLE. — Voilà, mon gendre, comme il faut pousser les choses. Adieu. Sachez que vous êtes entré dans une famille qui vous donnera de l'appui et ne souffrira point que l'on vous fasse aucun affront.

SCÈNE IX [a]. — GEORGE DANDIN, *seul*.

Ah! que je... Vous l'avez voulu; vous l'avez voulu, George 445 Dandin, vous l'avez voulu, cela vous sied fort bien, et vous voilà ajusté [5] comme il faut; vous avez justement ce que vous méritez. Allons, il s'agit seulement de désabuser le père et la mère, et je pourrai trouver peut-être quelque moyen d'y réussir.

a. *Var.* Scène VII avant 1734 (voir p. 44, *Var.*).

1. *Les formes :* la manière d'agir suivant certains usages convenus; cf. les *procédés*, au début de la scène (l. 385). — 2. Ce compliment s'emploie fréquemment entre personnes du même rang. — 3. *Courre :* courir après un animal ou une personne. Le mot n'était pas encore spécialisé comme terme de chasse. — 4. Faire *grâce:* accorder une faveur, faire une amabilité. — 5. Se dit ironiquement, au figuré, d'une personne maltraitée en parole ou en action.

M². DE SOTENVILLE.

Non, je veux qu'il achève, et que tout aille dans les formes......

George Dandin, Acte 1ᵉʳ. Sc. 8.

J.M. Moreau le jᵉ dᵉˡ.

B². Roger Sc.

Robert Hirsch (George Dandin) et
Catherine Hiegel (Angélique)
GEORGE DANDIN. — *C'est ainsi que vous*
satisfaites aux engagements de la foi que
vous m'avez donnée publiquement?

(II, 4, l. 599-600)

Comédie-Française, 1970

ACTE II

Scène première. — CLAUDINE, LUBIN.

CLAUDINE. — Oui, j'ai bien deviné qu'il fallait que cela vînt de toi, et [450]
que tu l'eusses dit à quelqu'un qui l'ait rapporté à notre maître.

LUBIN. — Par ma foi! je n'en ai touché qu'un petit mot en passant à
un homme, afin qu'il ne dît point qu'il m'avait vu sortir; et il faut
que les gens, en ce pays-ci, soient de grands babillards.

CLAUDINE. — Vraiment, ce Monsieur le Vicomte a bien choisi son [455]
monde, que de te prendre pour son ambassadeur, et il s'est allé [1]
servir là d'un homme bien chanceux [2].

LUBIN. — Va, une autre fois, je serai plus fin [3], et je prendrai mieux
garde à moi.

CLAUDINE. — Oui, oui, il sera temps! [460]

LUBIN. — Ne parlons plus de cela. Écoute.

CLAUDINE. — Que veux-tu que j'écoute?

LUBIN. — Tourne un peu ton visage devers moi.

CLAUDINE. — Hé bien, qu'est-ce?

LUBIN. — Claudine! [465]

CLAUDINE. — Quoi?

LUBIN. — Hé! là, ne sais-tu pas bien ce que je veux dire?

CLAUDINE. — Non.

LUBIN. — Morgué [4]! je t'aime.

CLAUDINE. — Tout de bon? [470]

LUBIN. — Oui, le diable m'emporte! tu me peux croire, puisque
j'en jure.

CLAUDINE. — A la bonne heure.

LUBIN. — Je me sens tout tribouiller [5] le cœur quand je te regarde.

CLAUDINE. — Je m'en réjouis. [475]

LUBIN. — Comment est-ce que tu fais pour être si jolie?

CLAUDINE. — Je fais comme font les autres.

---

1. Voir p. 30, note 4. — 2. *Chanceux* par antiphrase; cf. *les Femmes savantes*, acte V,
scène 2, où le mot est employé dans le même sens : « MARTINE. — Me voilà bien chanceuse ! »
Un auteur écrit en 1688 qu'il n'est bon que dans le « burlesque » et qu'il « n'entre point
dans le discours un peu relevé » (Louis Alemand, *Nouvelles Observations* ou *guerre civile des
Français sur la langue*, 1688). — 3. Plus intelligent. — 4. Voir *Morguienne*, p. 32, note 1. —
5. Remuer. Vieux terme expressif du langage populaire, sans doute en relation avec l'ancien
verbe *tribuler* ou *tribler*, qui signifiait « herser » au propre et « tourmenter » au figuré (cf.
tribulation). Seul exemple chez Molière. Chateaubriand utilisera encore le substantif *tribouil*
(*Mémoires d'outre-tombe*, Paris, Furne, 1834, tome V, p. 268).

LUBIN. — Vois-tu, il ne faut point tant de beurre pour faire un quarteron [1] : si tu veux, tu seras ma femme, je serai ton mari, et nous serons tous deux mari et femme. 480

CLAUDINE. — Tu serais peut-être jaloux comme notre maître.

LUBIN. — Point.

CLAUDINE. — Pour moi, je hais les maris soupçonneux, et j'en veux un qui ne s'épouvante de rien, un si plein de confiance, et si sûr de ma chasteté, qu'il me vît sans inquiétude au milieu de trente 485 hommes.

LUBIN. — Hé bien, je serai tout comme cela.

CLAUDINE. — C'est la plus sotte chose du monde que de se défier d'une femme, et de la tourmenter. La vérité de l'affaire est qu'on n'y gagne rien de bon : cela nous fait songer à mal, et ce sont souvent 490 les maris, qui, avec leurs vacarmes, se font eux-mêmes ce qu'ils sont.

LUBIN. — Hé bien ! je te donnerai la liberté de faire tout ce qu'il te plaira.

CLAUDINE. — Voilà comme il faut faire pour n'être point trompé. 495 Lorsqu'un mari se met à notre discrétion [2], nous ne prenons de liberté que ce qu'il nous en faut, et il en est comme avec ceux qui nous ouvrent leur bourse et nous disent : « Prenez. » Nous en usons honnêtement, et nous nous contentons de la raison [3]. Mais ceux qui nous chicanent, nous nous efforçons de les tondre [4], 500 et nous ne les épargnons point.

LUBIN. — Va, je serai de ceux qui ouvrent leur bourse, et tu n'as qu'à te marier avec moi.

CLAUDINE. — Hé bien, bien, nous verrons.

LUBIN. — Viens donc ici, Claudine. 505

CLAUDINE. — Que veux-tu ?

LUBIN. — Viens, te dis-je.

CLAUDINE. — Ah ! doucement : je n'aime point les patineurs [5].

LUBIN. — Eh ! un petit brin d'amitié.

CLAUDINE. — Laisse-moi là, te dis-je : je n'entends pas raillerie. 510

LUBIN. — Claudine.

CLAUDINE, *repoussant Lubin.* — Hai !

---

1. Un quart de livre. Le proverbe signifie : c'est une chose qui peut se faire sans tant de cérémonie ; cf. Cyrano de Bergerac, *le Pédant joué*, acte II, scène 2. — 2. *Se mettre à la discrétion de :* s'en rapporter, faire confiance au jugement de quelqu'un. — 3. De ce qui est raisonnable. *C'est la raison* était une locution toute faite qui s'employait comme « il est raisonnable » : cf. *le Misanthrope*, III, 1, vers 820. — 4. Métaphore populaire : leur soutirer de l'argent ; cf. « plumer ». — 5. Seul exemple, chez Molière, d'un terme qui n'apparaîtra qu'en 1740 au *Dictionnaire de l'Académie* avec la mention « libre et populaire ». *Patiner* signifie : « caresser indécemment ». Scarron qualifie ce geste de « galanterie provinciale qui tient plus du satyre que de l'honnête homme » (*le Roman comique*, I, 10).

LUBIN. — Ah! que tu es rude à pauvres gens! Fi! que cela est malhonnête de refuser les personnes! N'as-tu point de honte d'être
belle, et de ne vouloir pas qu'on te caresse? Eh là!   515

■■■

● **Acte II, scène 1**

Mouvement de la scène. — Après une brève allusion à la maladresse
de Lubin, s'ouvre un dialogue rapide et très animé, au milieu duquel
s'insèrent les trois répliques plus longues où Claudine nous donne sa
théorie du mariage.

Intérêt comique de la scène. — Le comique de gestes et de mots
est largement représenté : vocabulaire familier ou grossier, style burlesque (noter en particulier les dernières répliques, dans lesquelles les
deux personnages badinent en un langage plaisant).

Intérêt psychologique. — Lubin nous est apparu comme un personnage fat et sot, et le début de la scène nous confirme sa sottise. Il faut
toutefois noter l'artifice du procédé dramatique : il est peu vraisemblable que ni Lubin ni Claudine ne se doute de l'identité de George
Dandin, mais Molière avait besoin de ce quiproquo, dont l'intérêt est
donc plus dramatique que psychologique.

① La suite de la scène nous fait d'ailleurs voir en Lubin un amoureux
plein d'humour, et moins sot qu'il ne pourrait sembler au premier abord :
montrez-le.

Les théories féministes de Claudine sont un reflet, nous le verrons,
de celles d'Angélique, et plus généralement de la pensée habituelle
de Molière sur la condition de la femme. On retrouve ainsi, dans les paroles
de Claudine, un écho de *l'École des maris* (acte I, scène 2), où Ariste
affirme :

« Des moindres libertés je n'ai point fait de crimes,
A ses jeunes désirs, j'ai toujours consenti,
Et je ne m'en suis point, grâce au Ciel, repenti.
J'ai souffert qu'elle ait vu les belles compagnies,
Les divertissements, les bals, les comédies;
Ce sont choses, pour moi, que je tiens de tout temps
Fort propres à former l'esprit des jeunes gens;
Et l'école du monde, en l'air dont il faut vivre
Instruit mieux, à mon gré, que ne fait aucun livre.
Elle aime à dépenser en habit, linge et nœuds :
Que voulez-vous? Je tâche à contenter ses vœux;
Et ce sont des plaisirs qu'on peut, dans nos familles,
Lorsque l'on a du bien, permettre aux jeunes filles.
Un ordre paternel m'oblige à l'épouser;
Mais mon dessein n'est pas de la tyranniser. »

■■

CLAUDINE. — Je te donnerai sur le nez.

LUBIN. — Oh! la farouche, la sauvage! Fi! pouah! la vilaine, qui est cruelle!

CLAUDINE. — Tu t'émancipes trop.

LUBIN. — Qu'est-ce que cela te coûterait de me laisser un peu faire? [520]

CLAUDINE. — Il faut que tu te donnes patience.

LUBIN. — Un petit baiser seulement, en rabattant [1] sur notre mariage.

CLAUDINE. — Je suis votre servante [2].

LUBIN. — Claudine, je t'en prie, sur l'et-tant-moins [3].

CLAUDINE. — Eh! que nenni : j'y ai déjà été attrapée. Adieu. Va-t'en, [525] et dis à Monsieur le Vicomte que j'aurai soin de rendre [4] son billet.

LUBIN. — Adieu, beauté rude ânière [5].

CLAUDINE. — Le mot est amoureux.

LUBIN. — Adieu, rocher, caillou, pierre de taille, et tout ce qu'il y a de plus dur au monde. [530]

CLAUDINE, *seule.* — Je vais remettre aux mains de ma maîtresse... Mais la voici avec son mari; éloignons-nous, et attendons qu'elle soit seule.

Scène II. — GEORGE DANDIN, ANGÉLIQUE.

GEORGE DANDIN. — Non, non, on ne m'abuse pas avec tant de facilité, et je ne suis que trop certain que le rapport que l'on m'a fait est [535] véritable. J'ai de meilleurs yeux qu'on ne pense, et votre galimatias [6] ne m'a point tantôt ébloui.

Scène III [a]. — CLITANDRE, ANGÉLIQUE, GEORGE DANDIN.

CLITANDRE, *à part, dans le fond du théâtre.* — Ah! la voilà; mais le mari est avec elle.

GEORGE DANDIN, *sans voir Clitandre.* — Au travers de toutes vos [540] grimaces [7] j'ai vu la vérité de ce que l'on m'a dit, et le peu de respect que vous avez pour le nœud qui nous joint. *(Clitandre et Angélique*

---

a. Var. Dans les éditions antérieures à 1734, la scène 2 comprenait la dernière réplique de George Dandin à Angélique, mais aussi les scènes 3 et 4 avec Clitandre.

---

1. *Rabattre :* faire une retenue sur le compte. — 2. Façon polie de prendre congé ou de refuser. Ici, c'est un refus ironique. — 3. *Sur et tant moins de* (langage juridique du XVIIe siècle) = en déduction de. *Sur l'et-tant-moins* signifie donc : comme acompte. — 4. Remettre. — 5. *Rude ânière*, écrit en un seul mot dès la seconde édition du *Dictionnaire de l'Académie* (1718), signifie : rude à ceux à qui l'on parle. L'origine de l'expression semble en être le proverbe populaire ancien : « A rude âne, rude ânier. » — 6. Discours embrouillé, confus, obscur; imbroglio. — 7. Au figuré : feintes, hypocrisie.

se saluent.) Mon Dieu! laissez là votre révérence, ce n'est pas de ces sortes de respect dont [1] je vous parle, et vous n'avez que faire de vous moquer. 545

ANGÉLIQUE. — Moi, me moquer! En aucune façon.

GEORGE DANDIN. — Je sais votre pensée, et connais... *(Clitandre et Angélique se saluent encore.)* Encore? Ah! ne raillons point davantage. Je n'ignore pas qu'à cause de votre noblesse vous me tenez fort au-dessous de vous, et le respect que je vous veux [2] dire ne 550 regarde point ma personne; j'entends parler de celui que vous devez à des nœuds aussi vénérables que le sont ceux du mariage. *(Angélique fait signe à Clitandre.)* Il ne faut point lever les épaules, et je ne dis point de sottises.

ANGÉLIQUE. — Qui songe à lever les épaules? 555

GEORGE DANDIN. — Mon Dieu! nous voyons clair. Je vous dis, encore une fois, que le mariage est une chaîne à laquelle on doit porter toute sorte de respect, et que c'est fort mal fait à vous d'en user comme vous faites. *(Angélique fait signe de la tête à Clitandre.)* Oui, oui, mal fait à vous; et vous n'avez que faire de hocher la tête 560 et de me faire la grimace.

ANGÉLIQUE. — Moi? je ne sais ce que vous voulez dire.

GEORGE DANDIN. — Je le sais fort bien, moi; et vos mépris me sont connus. Si je ne suis pas né noble, au moins suis-je d'une race où il n'y a point de reproche; et la famille des Dandins... 565

CLITANDRE, *derrière Angélique, sans être aperçu de George Dandin.* — Un moment d'entretien.

GEORGE DANDIN, *sans voir Clitandre.* — Eh!

ANGÉLIQUE. — Quoi? Je ne dis mot. *(George Dandin tourne autour de sa femme, et Clitandre se retire en faisant une grande révérence à* 570 *George Dandin.)*

SCÈNE IV. — GEORGE DANDIN, ANGÉLIQUE.

GEORGE DANDIN. — Le voilà qui vient rôder autour de vous.

ANGÉLIQUE. — Hé bien, est-ce ma faute? Que voulez-vous que j'y fasse?

GEORGE DANDIN. — Je veux que vous y fassiez ce que fait une femme 575 qui ne veut plaire qu'à son mari. Quoi qu'on en puisse dire, les galants n'obsèdent [3] jamais que quand on le veut bien. Il y a un

---

1. *De ... dont :* pléonasme courant au XVIIe siècle; cf. *à ... à qui.* — 2. Voir p. 30, note 4. — 3. *Obséder :* « être assidûment autour de quelqu'un pour empêcher que d'autres n'en approchent et pour se rendre maître de son esprit » *(Dict. de l'Acad.,* 1694). Ce sens fort vient du latin *obsidere* (assiéger); mais l'usage exclut la notion d'importunité, au sens figuré.

certain air doucereux qui les attire, ainsi que le miel fait les
mouches; et les honnêtes femmes ont des manières qui les savent
chasser d'abord [1].   580

ANGÉLIQUE. — Moi, les chasser? et par quelle raison? Je ne me scan-
dalise point qu'on me trouve bien faite, et cela me fait du plaisir.

GEORGE DANDIN. — Oui. Mais quel personnage voulez-vous que joue
un mari pendant cette galanterie?

ANGÉLIQUE. — Le personnage d'un honnête homme [2] qui est bien 585
aise de voir sa femme considérée.

GEORGE DANDIN. — Je suis votre valet [3]. Ce n'est pas là mon compte,
et les Dandins ne sont point accoutumés à cette mode-là.

---

1. Dès *d'abord*, tout de suite (sens habituel au XVIIe siècle). — 2. Un homme du monde.
— 3. Au propre : je vous salue très humblement; au figuré : manière polie d'exprimer son
désaccord.

■■

● **Acte II, scène 2.** — Le bref monologue de la scène 2 nous rappelle que
George Dandin n'a pas désarmé. Angélique est muette dans cette courte
scène, comme le sera Clitandre dans la suivante, mais le plus important
est dans les jeux de physionomie et les signes échangés, et non dans les
mots.

Scène 3. — Le **quiproquo** de la scène 3 est un procédé facile de farce,
mais il atteint toujours son but.

① Montrez qu'il évite ici à la scène d'être trop pénible; alors que les
paroles sont celles d'un drame (étudiez la noblesse inattendue et un peu
ampoulée du langage de George Dandin), la mimique est burlesque. Le
contraste est étrange, mais il doit s'effacer à la représentation pour
que le spectateur ne soit sensible qu'au comique.

George Dandin nous paraît plus que jamais obsédé par les problèmes
que pose la mésalliance d'Angélique : une fois encore, il tient le langage
de l'amour-propre, et l'amour semble ne tenir aucune place dans sa
colère.

② Montrez qu'il fallait que Molière accentuât ce trait pour que la
comédie ne versât pas dans le drame.
La scène se termine avant que George Dandin ne devienne franchement
ridicule (noter le comique de l'expression (l. 565) : *la famille des Dandins*).

Scène 4. — Angélique affirme avec force, dans cette scène, la liberté
de la femme mariée. George Dandin, représentant le bon sens populaire
et la tyrannie maritale, ne peut même pas comprendre le point de vue
de son épouse. Il est déconcerté et se retire piteusement après une mala-
droite tentative d'autorité.

③ Étudiez le contraste entre la fermeté de la « doctrine » d'Angélique et la médiocrité des répliques de son mari.

④ Étudiez le vocabulaire d'Angélique et relevez les termes exprimant les notions de « plaisir » et de « douceurs ». Que peut-on en déduire quant au caractère de la jeune femme?

« Ce n'est pas une innocente jeune fille qui parle, c'est une jeune femme avertie qui s'exprime avec une franchise gauloise, telle qu'elle en laisse son Dandin tout pantois » (Émile Fabre, *Notre Molière*, Paris, Albin Michel, 1951, p. 164).

⑤ Étudiez la vigueur du style d'Angélique : cf. en particulier (l. 591) *m'enterrer toute vive dans un mari.*

Certains rapprochements s'imposent avec d'autres pièces de Molière :

a) Le début de la scène doit être comparé au début de la scène 1 de l'acte II du *Misanthrope*. Cf. en particulier (vers 459-474) :

> « Vous avez trop d'amants...
>
> ...chasserait la cohue. »

b) Les propos d'Angélique font songer aux paroles de Mademoiselle Molière à la scène 1 de *l'Impromptu de Versailles* (éd. Bordas, l. 109-112) : « Ma foi, si je faisais une comédie, je la ferais sur ce sujet, je justifierais les femmes de bien des choses dont on les accuse, et je ferais craindre aux maris la différence qu'il y a de leurs manières brusques aux civilités des galants. »

c) L'étroite association de la vie et du plaisir dans la « philosophie » d'Angélique, fait songer à Agnès (scène 4 de l'acte V de *l'École des femmes*) ; cf. v. 1527 :

> « Le moyen de chasser ce qui fait du plaisir? »

Angélique serait-elle une Agnès qui aurait épousé son barbon?

d) L'allusion au rôle joué par les parents, dans le mariage arrangé entre Angélique et George Dandin, est présentée par l'épouse indocile comme une excuse à sa conduite. Dorine n'avait-elle pas déjà affirmé à la scène 2 de l'acte II de *Tartuffe* (vers 563-566) :

> « Si j'étais à sa place, un homme assurément
> Ne m'épouserait pas de force impunément;
> Et je lui ferais voir bientôt, après la fête,
> Qu'une femme a toujours une vengeance prête »?

Scène 5

⑥ Cette courte scène a une importance dramatique et psychologique : montrez-le.

Molière lance une pointe, au passage, contre les beaux esprits de la province, qui se laissent prendre aux fausses apparences d'un discours bien tourné. Mais l'on connaît déjà Angélique et l'on devine que le billet n'était pas nécessaire pour emporter la place.

ANGÉLIQUE. — Oh! les Dandins s'y accoutumeront s'ils veulent. Car, pour moi, je vous déclare que mon dessein n'est pas de 590 renoncer au monde et de m'enterrer toute vive dans un mari. Comment! parce qu'un homme s'avise de nous épouser, il faut d'abord [1] que toutes choses soient finies pour nous, et que nous rompions tout commerce avec les vivants? C'est une chose merveilleuse [2] que cette tyrannie de Messieurs les maris, et je les 595 trouve bons de vouloir qu'on soit morte à tous les divertissements, et qu'on ne vive que pour eux. Je me moque de cela, et ne veux point mourir si jeune.

GEORGE DANDIN. — C'est ainsi que vous satisfaites aux engagements de la foi que vous m'avez donnée publiquement? 600

ANGÉLIQUE. — Moi? Je ne vous l'ai point donnée de bon cœur, et vous me l'avez arrachée. M'avez-vous, avant le mariage, demandé mon consentement et si je voulais bien de vous? Vous n'avez consulté, pour cela, que mon père et ma mère; ce sont eux proprement qui vous ont épousé, et c'est pourquoi vous ferez bien 605 de vous plaindre toujours à eux des torts que l'on pourra vous faire. Pour moi, qui ne vous ai point dit de vous marier avec moi et que vous avez prise sans consulter mes sentiments, je prétends n'être point obligée à me soumettre en esclave à vos volontés; et je veux jouir, s'il vous plaît, de quelque nombre de beaux jours 610 que m'offre [3] la jeunesse, prendre les douces libertés que l'âge me permet, voir un peu de beau monde, et goûter le plaisir de m'ouïr dire des douceurs. Préparez-vous-y, pour votre punition, et rendez grâces au Ciel de ce que je ne suis pas capable de quelque chose de pis. 615

GEORGE DANDIN. — Oui! c'est ainsi que vous le prenez. Je suis votre mari, et je vous dis que je n'entends pas cela.

ANGÉLIQUE. — Moi, je suis votre femme, et je vous dis que je l'entends.

GEORGE DANDIN, *à part.* — Il me prend des tentations d'accommoder 620 tout son visage à la compote [4], et le mettre en état de ne plaire de sa vie aux diseurs de fleurettes [5]. Ah! allons, George Dandin; je ne pourrais me retenir, et il vaut mieux quitter la place.

---

1. Aussitôt. — 2. Digne d'étonnement, mais non d'admiration; cf. latin *mirabilia :* choses étonnantes. Une merveille est une « chose rare, extraordinaire, surprenante, qu'on ne peut guères voir ni comprendre » (*Dict.* de Furetière, 1690). — 3. Du petit *nombre de beaux jours* que peut m'offrir. — 4. Tour familier. Saint-Simon emploie l'expression « mettre en compote » (édition de 1879, tome I, p. 294). — 5. *Fleurettes :* propos galants, ou même, plus généralement, compliments flatteurs (mot très fréquent à l'époque classique).

Scène V [a]. — ANGÉLIQUE, CLAUDINE.

CLAUDINE. — J'avais, Madame, impatience qu'il s'en allât, pour
vous rendre [1] ce mot de la part que vous savez [2].   625

ANGÉLIQUE. — Voyons. *(Elle lit bas.)*

CLAUDINE, *à part.* — A ce que je puis remarquer, ce qu'on lui écrit ne
lui déplaît pas trop.

ANGÉLIQUE. — Ah! Claudine, que ce billet s'explique d'une façon
galante! Que, dans tous leurs discours et dans toutes leurs actions,   630
les gens de Cour ont un air agréable! Et qu'est-ce que c'est auprès
d'eux, que nos gens de province?

CLAUDINE. — Je crois qu'après les avoir vus, les Dandins ne vous
plaisent guère.

ANGÉLIQUE. — Demeure ici : je m'en vais faire la réponse.   635

CLAUDINE, *seule.* — Je n'ai pas besoin, que je pense [3], de lui recom-
mander de la faire agréable. Mais voici...

Scène VI. — CLITANDRE, LUBIN, CLAUDINE.

CLAUDINE. — Vraiment, Monsieur, vous avez pris là un habile
messager.

CLITANDRE. — Je n'ai pas osé envoyer de mes gens. Mais, ma pauvre 640
Claudine, il faut que je te récompense des bons offices que je sais
que tu m'as rendus. *(Il fouille dans sa poche.)*

CLAUDINE. — Eh! Monsieur, il n'est pas nécessaire. Non, Monsieur,
vous n'avez que faire de vous donner cette peine-là; et je vous
rends service parce que vous le méritez, et que je me sens au cœur 645
de l'inclination pour vous.

CLITANDRE, *donnant de l'argent à Claudine.* — Je te suis obligé.

LUBIN, *à Claudine.* — Puisque nous serons mariés, donne-moi cela,
que je le mette avec le mien.

CLAUDINE. — Je te le garde, aussi bien que le baiser.   650

CLITANDRE, *à Claudine.* — Dis-moi, as-tu rendu mon billet à ta belle
maîtresse?

CLAUDINE. — Oui, elle est allée y répondre.

CLITANDRE. — Mais, Claudine, n'y a-t-il pas moyen que je la puisse
entretenir?   655

CLAUDINE. — Oui : venez avec moi, je vous ferai parler à elle.

CLITANDRE. — Mais le trouvera-t-elle bon? et n'y a-t-il rien à risquer?

a. *Var.* Scène 3 avant 1734.

1. Remettre. — 2. *De la part* de qui *vous savez.* — 3. Cf. l'expression « que je sache »,
encore usitée aujourd'hui.

CLAUDINE. — Non, non : son mari n'est pas au logis; et puis, ce n'est pas lui qu'elle a le plus à ménager, c'est son père et sa mère; et, pourvu qu'ils soient prévenus [1], tout le reste n'est point à craindre. 660

CLITANDRE. — Je m'abandonne à ta conduite.

LUBIN, *seul.* — Testiguenne [2]! que j'aurai là une habile femme! Elle a de l'esprit comme quatre.

SCÈNE VII [a]. — GEORGE DANDIN, LUBIN.

GEORGE DANDIN, *bas, à part.* — Voici mon homme de tantôt. Plût au Ciel qu'il pût se résoudre à vouloir rendre témoignage au père et 665 à la mère de ce qu'il ne veulent point croire!

LUBIN. — Ah! vous voilà, Monsieur le babillard, à qui j'avais tant recommandé de ne point parler, et qui me l'aviez tant promis. Vous êtes donc un causeur, et vous allez redire ce que l'on vous dit en secret? 670

GEORGE DANDIN. — Moi?

LUBIN. — Oui. Vous avez été tout rapporter au mari, et vous êtes cause qu'il a fait du vacarme. Je suis bien aise de savoir que vous avez de la langue, et cela m'apprendra à ne vous plus [3] rien dire.

GEORGE DANDIN. — Écoute, mon ami. 675

LUBIN. — Si vous n'aviez point babillé, je vous aurais conté ce qui se passe à cette heure; mais, pour votre punition, vous ne saurez rien du tout.

GEORGE DANDIN. — Comment! qu'est-ce qui se passe?

LUBIN. — Rien, rien. Voilà ce que c'est d'avoir causé : vous n'en 680 tâterez [4] plus, et je vous laisse sur la bonne bouche [5].

GEORGE DANDIN. — Arrête un peu.

LUBIN. — Point.

GEORGE DANDIN. — Je ne te veux dire [6] qu'un mot.

LUBIN. — Nennin [7], nennin. Vous avez envie de me tirer les vers du 685 nez.

GEORGE DANDIN. — Non, ce n'est pas cela.

LUBIN. — Eh! quelque sot [8]... Je vous vois venir.

a. *Var.* : Scène 5 avant 1734.

1. *Prévenir* : « Préoccuper l'esprit de quelqu'un, y faire naître des préventions, des idées préconçues, favorables ou non. *Il a prévenu ses juges, l'esprit de ses juges. Ils se sont laissé prévenir* » (*Dict. de l'Acad.*, 1694). Ici, il s'agit bien évidemment de prévenir en faveur du personnage. — 2. Voir p. 31, note 3. — 3. Voir p. 30, note 4. — 4. *Tâter* : goûter, avoir sa part de. — 5. Vous avez été régalé par le début de l'histoire, qui vous a alléché, mais vous n'aurez rien de plus. — 6. Voir p. 30, note 4. — 6. Déformation paysanne de *nenni* prononcé en nasalisant la seconde syllabe. — 8. Sous-entendu : « s'y laisserait prendre, mais ce n'est pas mon cas » cf. *l'Étourdi*, vers 674; le *Tartuffe*, vers 576; Cyrano de Bergerac, *le Pédant joué*, II, 3).

GEORGE DANDIN. — C'est autre chose. Écoute.

LUBIN. — Point d'affaire. Vous voudriez que je vous dise que [690] Monsieur le Vicomte vient de donner de l'argent à Claudine, et qu'elle l'a mené chez sa maîtresse. Mais je ne suis pas si bête.

GEORGE DANDIN. — De grâce...

LUBIN. — Non.

GEORGE DANDIN. — Je te donnerai... [695]

LUBIN. — Tarare[1] !

SCÈNE VIII [a]. — GEORGE DANDIN, *seul.*

Je n'ai pu me servir, avec cet innocent, de la pensée que j'avais. Mais le nouvel avis qui lui est échappé ferait la même chose, et, si le galant est chez moi, ce serait pour avoir raison[2] aux yeux du père et de la mère, et les convaincre pleinement de l'effronterie [700] de leur fille. Le mal de tout ceci, c'est que je ne sais comment faire pour profiter d'un tel avis. Si je rentre chez moi, je ferai évader le drôle, et, quelque chose que je puisse voir moi-même de mon déshonneur, je n'en serai point cru à mon serment, et l'on me dira que je rêve[3]. Si, d'autre part, je vais querir beau-père [705] et belle-mère, sans être sûr de trouver chez moi le galant, ce sera la même chose, et je retomberai dans l'inconvénient de tantôt. Pourrais-je[4] point m'éclaircir doucement s'il y est encore ? *(Après avoir regardé par le trou de la serrure.)* Ah Ciel ! il n'en faut plus douter, et je viens de l'apercevoir par le trou de la porte. [710] Le sort me donne ici de quoi confondre ma partie[5] ; et, pour ache- ver l'aventure, il fait venir à point nommé les juges dont j'avais besoin.

SCÈNE IX [b]. — MONSIEUR ET MADAME DE SOTENVILLE, GEORGE DANDIN.

GEORGE DANDIN. — Enfin, vous ne m'avez[6] pas voulu croire tantôt, et votre fille l'a emporté sur moi ; mais j'ai en main de quoi [715]

a. *Var.* Scène 6 avant 1734. — b. Scène 7 avant 1734.

---

1. Manière familière et fantaisiste de se moquer de quelqu'un à qui l'on oppose un refus sans explications. Sans doute ces syllabes évocatrices étaient-elles chantées plus que prononcées sur le ton ordinaire de la conversation ; cf. *l'Étourdi*, vers 1241. — 2. C'est ce qu'il me faudrait *pour avoir raison*. — 3. *Rêver* : être en délire, divaguer. — 4. Suppression fré- quente, au XVIIᵉ siècle, de la négation dans les phrases interrogatives directes ou indirectes. — 5. Vocabulaire du langage de la procédure. — 6. Voir p. 30, note 4.

vous faire voir comme elle m'accommode [1], et, Dieu merci, mon déshonneur est si clair maintenant, que vous n'en pourrez plus douter.

MONSIEUR DE SOTENVILLE. — Comment, mon gendre, vous en êtes encore là-dessus [2]? 720

GEORGE DANDIN. — Oui, j'y suis, et jamais je n'eus tant de sujet d'y être.

MADAME DE SOTENVILLE. — Vous nous venez encore étourdir la tête?

GEORGE DANDIN. — Oui, Madame, et l'on fait bien pis à la mienne.

MONSIEUR DE SOTENVILLE. — Ne vous lassez-vous point de vous 725 rendre importun?

GEORGE DANDIN. — Non; mais je me lasse fort d'être pris pour dupe.

MADAME DE SOTENVILLE. — Ne voulez-vous point vous défaire de vos pensées extravagantes?

GEORGE DANDIN. — Non, Madame; mais je voudrais bien me défaire 730 d'une femme qui me déshonore.

MADAME DE SOTENVILLE. — Jour de Dieu! notre gendre, apprenez à parler.

MONSIEUR DE SOTENVILLE. — Corbleu [3]! cherchez des termes moins offensants que ceux-là. 735

GEORGE DANDIN. — Marchand qui perd ne peut rire.

MADAME DE SOTENVILLE. — Souvenez-vous que vous avez épousé une Demoiselle [4].

GEORGE DANSIN. — Je m'en souviens assez, et ne m'en souviendrai que trop. 740

MONSIEUR DE SOTENVILLE. — Si vous vous en souvenez, songez donc à parler avec plus de respect.

GEORGE DANDIN. — Mais que ne songe-t-elle plutôt à me traiter plus honnêtement? Quoi! parce qu'elle est Demoiselle, il faut qu'elle ait la liberté de me faire ce qui lui plaît, sans que j'ose souffler [5]? 745

MONSIEUR DE SOTENVILLE. — Qu'avez-vous donc, et que pouvez-vous dire? N'avez-vous pas vu, ce matin, qu'elle s'est défendue de connaître celui dont vous m'étiez venu [6] parler?

GEORGE DANDIN. — Oui. Mais vous, que pourrez-vous dire si je vous fais voir maintenant que le galant est avec elle? 750

MADAME DE SOTENVILLE. — Avec elle?

GEORGE DANDIN. — Oui, avec elle, et dans ma maison?

MONSIEUR DE SOTENVILLE. — Dans votre maison?

---

1. Emploi ironique, au figuré = comment elle me maltraite; voir le monologue de George Dandin à la scène 3 de l'acte I.— 2. Sur cette affaire, sur ces soupçons. — 3. Voir p. 34, note 3. — 4. Voir p. 27, note 1. — 5. *Souffler* mot. Exemple donné par le *Dictionnaire de l'Académie* en 1694 : « il faut qu'il endure et qu'il ne souffle pas seulement. » — 6. Voir p. 30, note 4.

■■■

- **Acte II, scène 6**

Molière n'a pas tiré parti des nombreux éléments de cette scène rapide, qui apparaît presque comme un canevas :
1. Claudine et Clitandre;
2. Lubin et Claudine;
3. à nouveau Claudine et Clitandre, mais sur un sujet plus précis.

① Le premier mouvement de la scène révèle une lutte comique entre le caractère romanesque de Claudine et son avidité à recevoir une rémunération. Montrez que cette contradiction campe un personnage de servante vraisemblable et bien dessiné.

② Le deuxième mouvement est l'ébauche d'une scène de farce (étudiez-en les éléments) où nous retrouvons l'enjouement de la scène 1.

③ Enfin, le dernier mouvement, le plus important sur le plan dramatique, prépare l'entrevue entre Angélique et Clitandre. Relevez le comique de la dernière réplique de Lubin, qui ne semble pas voir tous les risques que peut lui faire courir l'« habileté » de sa femme.

Scène 7. — Le comique de cette scène est un comique de mots et de situation, renforcé par la répétition. Mais la scène est nécessaire aussi à l'évolution de l'action, puisqu'elle va permettre, comme à l'acte I, la tentative de George Dandin pour convaincre ses beaux-parents.
Lubin est un incorrigible bavard et l'on sourit lorsqu'il reproche à George Dandin (l. 669) d'être *un causeur*. Il est moins prolixe que Zerbinette à l'acte III, scène 3 des *Fourberies de Scapin*, mais ses révélations n'en ont pas moins des effets désastreux.

④ Relevez tous les effets comiques du texte.

Scène 8. — L'intérêt dramatique de ce monologue est de préparer le retournement de la situation tout en le rendant imprévisible. Les deux problèmes clairement posés par George Dandin (étudier la rigueur de son raisonnement) sont résolus à la fin de la scène : la venue des Sotenville suit immédiatement l'assurance que leur gendre vient d'avoir de son infortune.

Scène 9. — On comprend ainsi le soulagement manifesté par George Dandin (l. 714 et 716) : *Enfin... Dieu merci...* Cependant les paroles du mari bafoué, plus sensible à la blessure d'amour-propre que lui ont faite ses beaux-parents qu'à ses soucis de ménage, n'en sont pas moins du meilleur comique.

⑤ Analysez les éléments de ce comique de mots et montrez qu'il se prolonge en comique de caractères.
M. et Mme de Sotenville, de leur côté, ont toujours l'esprit aussi lent, et la répétition de la même idée sous des formes diverses a une valeur comique.

⑥ Étudiez la surprise des parents d'Angélique.

■■■

GEORGE DANDIN. — Oui, dans ma propre maison.

MADAME DE SOTENVILLE. — Si cela est, nous serons pour vous [755] contre elle.

MONSIEUR DE SOTENVILLE. — Oui. L'honneur de notre famille nous est plus cher que toute chose; et, si vous dites vrai, nous la renoncerons pour notre sang et l'abandonnerons à votre colère.

GEORGE DANDIN. — Vous n'avez qu'à me suivre. [760]

MADAME DE SOTENVILLE. — Gardez de vous tromper.

MONSIEUR DE SOTENVILLE. — N'allez pas faire comme tantôt.

GEORGE DANDIN. — Mon Dieu! vous allez voir. *(Montrant Clitandre, qui sort avec Angélique.)* Tenez, ai-je menti?

SCÈNE X [a]. — ANGÉLIQUE, CLITANDRE, CLAUDINE, MONSIEUR ET MADAME DE SOTENVILLE; *avec* GEORGE DANDIN, *dans le fond du théâtre.*

ANGÉLIQUE, *à Clitandre.* — Adieu. J'ai peur qu'on vous surprenne [1] [765] ici, et j'ai quelques mesures à garder.

CLITANDRE. — Promettez-moi donc, Madame, que je pourrai vous parler cette nuit.

ANGÉLIQUE. — J'y ferai mes efforts.

GEORGE DANDIN, *à Monsieur et à Madame de Sotenville.* — Approchons [770] doucement par derrière, et tâchons de n'être point vus.

CLAUDINE, *à Angélique.* — Ah! Madame, tout est perdu : voilà votre père et votre mère, accompagnés de votre mari.

CLITANDRE. — Ah! Ciel!

ANGÉLIQUE, *bas, à Clitandre et à Claudine.* — Ne faites pas semblant [775] de rien [2], et me laissez faire tous deux. *(Haut, à Clitandre.)* Quoi! vous osez en user de la sorte après l'affaire de tantôt; et c'est ainsi que vous dissimulez vos sentiments? — On me vient [3] rapporter que vous avez de l'amour pour moi, et que vous faites des desseins [4] de me solliciter [5] : j'en témoigne mon dépit, et m'explique à vous [780] clairement en présence de tout le monde; vous niez hautement la chose, et me donnez parole de n'avoir aucune pensée de m'offenser : et cependant, le même jour, vous prenez la hardiesse de

a. *Var.* Scène 8 avant 1734.

---

1. La négation est fréquemment omise après les verbes exprimant la crainte. — 2. *Rien* garde sa valeur étymologique (*rem*) et signifie : quelque chose. — 3. Voir p. 30, note 4. — 4. Voltaire critique l'expression *faire des desseins* ou *un dessein de*, au sens de projeter; mais l'expression est très fréquente dans la langue classique. — 5. *Solliciter :* chercher à entraîner par des arguments séduisants, ou pousser quelqu'un à faire ou à entreprendre quelque chose.

venir chez moi me rendre visite, de me dire que vous m'aimez, et
de me faire cent sots contes pour me persuader de répondre à vos [785]
extravagances : comme si j'étais femme à violer la foi que j'ai
donnée à un mari, et m'éloigner jamais de la vertu que mes parents
m'ont enseignée ! Si mon père savait cela, il vous apprendrait bien
à tenter de ces entreprises. Mais une honnête femme n'aime point
les éclats ; je n'ai garde de lui en rien [1] dire *(après avoir fait signe à* [790]
Claudine d'apporter un bâton) et je veux vous montrer que, toute
femme que je suis, j'ai assez de courage pour me venger moi-
même des offenses que l'on me fait. L'action que vous avez faite
n'est pas d'un gentilhomme, et ce n'est pas en gentilhomme
aussi [2] que je veux vous traiter. *(Angélique prend le bâton et le lève* [795]
sur Clitandre, qui se range de façon que les coups tombent sur George
Dandin.)

CLITANDRE, *criant comme s'il avait été frappé.* — Ah ! ah ! ah ! ah !
doucement.

SCÈNE XI [a]. — MONSIEUR ET MADAME DE SOTENVILLE, ANGÉLIQUE, GEORGE DANDIN, CLAUDINE.

CLAUDINE. — Fort, Madame, frappez comme il faut. [800]

ANGÉLIQUE, *faisant semblant de parler à Clitandre.* — S'il vous
demeure quelque chose sur le cœur, je suis pour vous répondre.

CLAUDINE. — Apprenez à qui vous vous jouez [3].

ANGÉLIQUE, *faisant l'étonnée.* — Ah ! mon père, vous êtes-là !

MONSIEUR DE SOTENVILLE. — Oui, ma fille, et je vois qu'en sagesse [805]
et en courage tu te montres un digne rejeton de la maison de
Sotenville. Viens çà, approche-toi que je t'embrasse.

MADAME DE SOTENVILLE. — Embrasse-moi aussi, ma fille. Las ! je
pleure de joie, et reconnais mon sang aux choses que tu viens de
faire. [810]

MONSIEUR DE SOTENVILLE. — Mon gendre, que vous devez être ravi,
et que cette aventure est pour vous pleine de douceurs ! Vous
aviez un juste sujet de vous alarmer, mais vos soupçons se trouvent
dissipés le plus avantageusement du monde.

MADAME DE SOTENVILLE. — Sans doute, notre gendre, et vous devez [815]
maintenant être le plus content des hommes.

---

a. *Var. :* la scène 8 se prolonge jusqu'à la fin de l'acte dans les éditions antérieures à 1734.

---

1. Voir p. 62, note 2. — 2. *Aussi* s'emploie fréquemment dans les phrases négatives pour :
non plus. — 3. *Se jouer à :* se frotter à, attaquer mal à propos quelqu'un.

CLAUDINE. — Assurément. Voilà une femme, celle-là. Vous êtes trop heureux de l'avoir, et vous devriez baiser les pas où elle passe[1].

GEORGE DANDIN, *à part.* — Euh, traîtresse!

MONSIEUR DE SOTENVILLE. — Qu'est-ce, mon gendre? Que ne remer- [820] ciez-vous un peu votre femme de l'amitié[2] que vous voyez qu'elle montre pour vous?

ANGÉLIQUE. — Non, non, mon père, il n'est pas nécessaire. Il ne m'a aucune obligation de ce qu'il vient de voir, et tout ce que j'en fais n'est que pour l'amour de moi-même. [825]

MONSIEUR DE SOTENVILLE. — Où allez-vous, ma fille?

ANGÉLIQUE. — Je me retire, mon père, pour ne me voir point[3] obligée de recevoir ses compliments.

CLAUDINE, *à George Dandin.* — Elle a raison d'être en colère. C'est une femme qui mérite d'être adorée, et vous ne la traitez pas comme [830] vous devriez.

GEORGE DANDIN, *à part.* — Scélérate!

SCÈNE XII. — MONSIEUR ET MADAME DE SOTENVILLE, GEORGE DANDIN.

MONSIEUR DE SOTENVILLE. — C'est un petit ressentiment de l'affaire de tantôt, et cela se passera avec un peu de caresse que vous lui ferez. Adieu, mon gendre, vous voilà en état de ne vous plus inquiéter. [835] Allez-vous-en faire la paix ensemble, et tâchez de l'apaiser par des excuses de votre emportement.

MADAME DE SOTENVILLE. — Vous devez considérer que c'est une fille élevée à la vertu[4], et qui n'est point accoutumée à se voir soup- çonner d'aucune vilaine action. Adieu. Je suis ravie de voir vos [840] désordres[5] finis et des transports de joie que vous doit donner sa conduite.

SCÈNE XIII. — GEORGE DANDIN, *seul.*

Je ne dis mot, car je ne gagnerais rien à parler, et jamais il ne s'est rien vu d'égal à ma disgrâce. Oui, j'admire mon malheur, et la subtile adresse de ma carogne[6] de femme pour se donner [845] toujours raison et me faire avoir tort. Est-il possible que tou- jours j'aurai du dessous[7] avec elle, que les apparences toujours tourneront contre moi, et que je ne parviendrai point à convaincre mon effrontée! Ô Ciel, seconde mes desseins, et m'accorde la grâce de faire voir aux gens que l'on me déshonore. [850]

---

1. *Les pas par où elle passe* (1734). —2. L'amour. — 3. Voir p. 30, note 4. — 4. Instruite *à la vertu.* — 5. On peut comprendre soit « dissensions intestines », soit « trouble, égare- ment de l'esprit ». — 6. Voir p. 42, note 3. — 7. Le *dessous.*

- **Acte II, scène 10.** — Angélique retourne la situation avec une maestria qui frise l'invraisemblance. Mais n'oublions pas que nous sommes dans un divertissement et que les pirouettes des acteurs font oublier l'invraisemblance. La comédie de mœurs aurait pu tourner au drame; elle se transforme en farce des plus grosses, George Dandin recevant les coups destinés à Clitandre.

① Connaissez-vous d'autres exemples, dans le théâtre de Molière, de scènes de farce permettant à la comédie d'éviter le drame?

Les plaintes de Clitandre, soi-disant frappé, évoquent celles de Scapin dans la fameuse scène du sac (*Fourberies de Scapin*, III, 2) où Scapin se plaint d'être moulu des coups que Géronte a reçus. Le procédé comique n'est pas des plus fins, mais il fait toujours son effet.

② Étudiez à ce propos ce jugement de Jacques Copeau (mise en scène des *Fourberies de Scapin*, 1951) :

« Quelle est, à s'exercer sur un auteur de comédie, l'influence la plus saine? Celle du snobisme intellectuel qui, l'invitant au raffiné, le conduit au bizarre, et parfois à l'absurde? [...] ou celle de la foule qui lui demande de se simplifier pour être compris d'elle, de grossir même un peu le trait et de gagner en énergie ce qu'il perd en délicatesse? [...] Tabarin ne fait pas de honte à Molière. Il est pour lui source de vie. Molière donne à Tabarin le style. Son goût du primitif et du vivant le garde de tomber jamais dans le littéraire. »

Scènes 11 et 12. — La sottise des Sotenville n'a d'égale que la duplicité de leur fille : mais l'une et l'autre mettent en valeur la solitude de George Dandin qui reste quasiment muet, frappé de stupeur, pendant que Claudine se gausse de lui. Noter la valeur comique du contraste entre la volubilité des uns et le silence de l'autre.

Quant à la satisfaction des parents d'Angélique, le spectateur, au courant des événements, peut en apprécier toute la saveur comique.

Scène 13. — Comme au premier acte, George Dandin se lamente dans un monologue, mais semble quelque peu ébranlé dans l'espoir qu'il avait de déjouer les ruses de sa femme. Toutefois, il n'abandonne pas son projet, et invoque le Ciel dans un style pseudo-tragique particulièrement plaisant après la scène de farce qui a mis fin à ses illusions.

③ Auger, dans son *Discours sur la comédie*, de 1827, écrit :

« Tous les éléments dont le premier acte est formé se retrouvent exactement dans celui-ci : les confidences de Lubin, les monologues de George Dandin, l'impudence de Clitandre, d'Angélique et de Claudine, enfin la sotte obstination de M. et Mme de Sotenville. C'est la même situation qui continue, ce sont les mêmes moyens qui sont mis en jeu; mais la situation devient plus vive et plus forte de scène en scène; mais les moyens, quoique semblables au fond, sont variés dans la forme, avec un art qui les fait paraître nouveaux. »

Commentez ce jugement.

Robert Bazil (George Dandin) et
Claude Locky (Monsieur de Sotenville)
MONSIEUR DE SOTENVILLE. — *Corbleu! cherchez
des termes moins offensants que ceux-là.*

(II, 9, l. 735-736)

J. Andréani, M. Barrier, C. Joano,
J. Leuvrais et J. Dancourt

CLITANDRE. — *Promettez-moi donc, Madame,*
que je pourrai vous parler cette nuit.

(II, 10, l. 767-768)

George Dandin par la Compagnie Planchon
Mise en scène de Roger Planchon
Théâtre des Champs-Élysées, 1961

ACTE III

Scène première. — CLITANDRE, LUBIN.

CLITANDRE. — La nuit est avancée, et j'ai peur qu'il ne soit trop tard. Je ne vois point à me conduire. Lubin !

LUBIN. — Monsieur ?

CLITANDRE. — Est-ce par ici ?

LUBIN. — Je pense que oui. Morgué[1] ! voilà une sotte nuit, d'être si noire que cela.

CLITANDRE. — Elle a tort assurément ; mais si, d'un côté, elle nous empêche de voir, elle empêche, de l'autre, que nous ne soyons vus.

LUBIN. — Vous avez raison, elle n'a pas tant de tort. Je voudrais bien savoir, Monsieur, vous qui êtes savant, pourquoi il ne fait point jour la nuit.

CLITANDRE. — C'est une grande question, et qui est difficile. Tu es curieux, Lubin.

LUBIN. — Oui ; si j'avais étudié, j'aurais été songer à des choses où on n'a jamais songé.

CLITANDRE. — Je le crois. Tu as la mine d'avoir l'esprit subtil et pénétrant.

LUBIN. — Cela est vrai. Tenez, j'explique du latin, quoique jamais je ne l'aie appris, et, voyant l'autre jour écrit sur une grande porte *collegium*, je devinai que cela voulait dire collège.

CLITANDRE. — Cela est admirable ! Tu sais donc lire, Lubin ?

LUBIN. — Oui, je sais lire la lettre moulée[2], mais je n'ai jamais su apprendre à lire l'écriture.

CLITANDRE. — Nous voici contre la maison. *(Après avoir frappé dans ses mains.)* C'est le signal que m'a donné[3] Claudine.

LUBIN. — Par ma foi ! c'est une fille qui vaut de l'argent, et je l'aime de tout mon cœur.

CLITANDRE. — Aussi t'ai-je amené avec moi pour l'entretenir.

LUBIN. — Monsieur, je vous suis...

CLITANDRE. — Chut ! j'entends quelque bruit.

---

1. Voir *Morguienne!*, p. 32, note 1. — 2. La *lettre moulée* désigne le caractère imprimé dans *le Pédant joué* de Cyrano de Bergerac. Le sens est classique et fréquemment attesté jusqu'au XIXe siècle. — 3. Indiqué.

SCÈNE II. — ANGÉLIQUE, CLAUDINE, CLITANDRE, LUBIN.

ANGÉLIQUE. — Claudine!

CLAUDINE. — Eh bien?

ANGÉLIQUE. — Laisse la porte entr'ouverte.

CLAUDINE. — Voilà qui est fait. *(Scène de nuit. Les acteurs se cherchent les uns les autres dans l'obscurité.)*   885

CLITANDRE, *à Lubin.* — Ce sont elles. St [1].

ANGÉLIQUE. — St.

LUBIN. — St.

CLAUDINE. — St.

CLITANDRE, *à Claudine, qu'il prend pour Angélique.* — Madame!   890

ANGÉLIQUE, *à Lubin, qu'elle prend pour Clitandre.* — Quoi?

LUBIN, *à Angélique, qu'il prend pour Claudine.* — Claudine!

CLAUDINE, *à Clitandre, qu'elle prend pour Lubin.* — Qu'est-ce?

---

1. Sifflement d'appel.

■■

● **Acte III, scènes 1 et 2.** — L'obscurité, favorable aux desseins des personnages, est surtout un procédé dramatique qui donne naissance à deux scènes de farce.

① Dans la scène 1, la naïveté de Lubin et l'ironie de Clitandre évoquent la scène entre Sganarelle et Don Juan : mais la comparaison avec la scène 2 de l'acte I de *Dom Juan* n'est pas à l'avantage de notre pièce. Étudiez, dans les deux scènes, comment la farce est plus ou moins dépassée au profit d'un comique plus profond.

On peut estimer que les plaisanteries faciles de la scène 1 de *George Dandin* faisaient partie du bien commun de la comédie au XVIIe siècle. C'est ainsi que, dans *l'Esprit follet* de d'Ouville (1641), on pouvait lire déjà :

« Je lis bien le moulé, mais non pas l'écriture. »

(Acte II, scène 3.)

Et deux ans après *George Dandin*, Monsieur Jourdain, comme Lubin qui explique du latin sans l'avoir jamais appris, s'écriera : « Par ma foi! il y a plus de quarante ans que je dis de la prose sans que j'en susse rien » (*Le Bourgeois gentilhomme*, II, 4, éd. Bordas, l. 586).

Dans la scène 2, les méprises dues à l'obscurité sont tout à fait dans la tradition de la farce italienne. Il faut noter la rapidité de cette scène, que les acteurs peuvent plus ou moins prolonger par leur jeu, suivant qu'ils ont ou non l'intention d'accentuer le côté burlesque de la pièce.

② Beaumarchais se souviendra de ces quiproquos entre serviteurs et maîtres au dernier acte du *Mariage de Figaro*. Comparez les deux passages.

■■

CLITANDRE, *à Claudine, croyant parler à Angélique.* — Ah ! Madame, que j'ai de joie ! 895

LUBIN, *à Angélique, croyant parler à Claudine* [a]. — Claudine, ma pauvre Claudine !

CLAUDINE, *à Clitandre.* — Doucement, Monsieur.

ANGÉLIQUE, *à Lubin.* — Tout beau, Lubin.

CLITANDRE. — Est-ce toi, Claudine ? 900

CLAUDINE. — Oui.

LUBIN. — Est-ce vous, Madame ?

ANGÉLIQUE. — Oui.

CLAUDINE, *à Clitandre.* — Vous avez pris l'une pour l'autre.

LUBIN, *à Angélique.* — Ma foi, la nuit, on n'y voit goutte. 905

ANGÉLIQUE. — Est-ce pas [1] vous, Clitandre ?

CLITANDRE. — Oui, Madame.

ANGÉLIQUE. — Mon mari ronfle comme il faut, et j'ai pris ce temps pour nous entretenir ici.

CLITANDRE. — Cherchons quelque lieu pour nous asseoir. 910

CLAUDINE. — C'est fort bien avisé. *(Angélique, Clitandre et Claudine vont s'asseoir dans le fond du théâtre.)*

LUBIN, *cherchant Claudine.* — Claudine, où est-ce que tu es ?

SCÈNE III. — ANGÉLIQUE, CLITANDRE ET CLAUDINE, *assis au fond du théâtre ;* GEORGE DANDIN, *à moitié déshabillé* ; LUBIN.

GEORGE DANDIN, *à part.* — J'ai entendu descendre ma femme, et je me suis vite habillé pour descendre après elle. Où peut-elle être 915 allée ? serait-elle sortie ?

LUBIN, *cherchant Claudine, et prenant George Dandin pour Claudine.* — Où es-tu donc, Claudine ? Ah ! te voilà. Par ma foi, ton maître est plaisamment attrapé ; et je trouve ceci aussi drôle que les coups de bâton de tantôt, dont on m'a fait récit. Ta maîtresse dit 920 qu'il ronfle, à cette heure, comme tous les diantres [2], et il ne sait pas que Monsieur le Vicomte et elle sont ensemble pendant qu'il dort. Je voudrais bien savoir quel songe il fait maintenant. Cela est tout à fait risible ! De quoi s'avise-t-il aussi d'être jaloux de sa femme, et de vouloir qu'elle soit à lui tout seul ? C'est un 925 impertinent [3], et Monsieur le Vicomte lui fait trop d'honneur.

a. Toutes ces indications de mise en scène datent de 1734.

1. Voir p. 59, note 4. — 2. Déformation populaire de « diables ». — 3. *Impertinent* : qui parle ou qui agit contre la raison, la bienséance.

Tu ne dis mot, Claudine. Allons, suivons-les, et me donne ta petite menotte, que je la baise. Ah! que cela est doux! il me semble que je mange des confitures. *(A George Dandin, qu'il prend toujours pour Claudine, et qui le repousse rudement.)* Tudieu! comme vous y allez! Voilà une petite menotte qui est un peu bien rude. 930

GEORGE DANDIN. — Qui va là?

LUBIN. — Personne.

GEORGE DANDIN. — Il fuit, et me laisse informé de la nouvelle perfidie de ma coquine. Allons, il faut que, sans tarder, j'envoie appeler 935 son père et sa mère, et que cette aventure me serve à me faire séparer d'elle. Holà! Colin, Colin!

SCÈNE IV. — ANGÉLIQUE et CLITANDRE, avec CLAUDINE, LUBIN, *assis au fond du théâtre,* GEORGE DANDIN, COLIN.

COLIN, *à la fenêtre.* — Monsieur!

GEORGE DANDIN. — Allons vite, ici-bas [1].

COLIN, *sautant par la fenêtre.* — M'y voilà, on ne peut pas plus vite. 940

GEORGE DANDIN. — Tu es là?

COLIN. — Oui, Monsieur. *(Pendant que George Dandin va chercher Colin du côté où il a entendu sa voix, Colin passe de l'autre, et s'endort.)*

GEORGE DANDIN, *se tournant du côté où il croit qu'est Colin.* — Dou- 945 cement. Parle bas. Écoute. Va-t'en chez mon beau-père et ma belle-mère, et dis que je les prie très instamment de venir tout à l'heure [2] ici. Entends-tu? Eh! Colin, Colin!

COLIN, *de l'autre côté, se réveillant.* — Monsieur?

GEORGE DANDIN. — Où diable es-tu? 950

COLIN. — Ici.

GEORGE DANDIN. — Peste soit du maroufle [3] qui s'éloigne de moi! *(Pendant que George Dandin retourne du côté où il croit que Colin est resté, Colin, à moitié endormi, passe de l'autre côté, et se rendort.)* Je te dis que tu ailles de ce pas trouver mon beau-père et ma belle- 955 mère, et leur dire que je les conjure de se rendre ici tout à l'heure [2]. M'entends-tu bien? Réponds. Colin! Colin!

COLIN, *de l'autre côté, se réveillant.* — Monsieur?

---

1. La première édition du *Dictionnaire de l'Académie*, en 1694, donne à *ici-bas* un sens local, sans nuance de mouvement : « Je suis ici, en bas ». Mais les autres éditions (jusqu'à la 5e) donnent le sens de : « Venez ici-bas, descendez. » — 2. Aussitôt. — 3. Terme de mépris employé pour un homme grossier ou un homme que l'on n'estime pas; synonyme de maraud.

GEORGE DANDIN. — Voilà un pendard qui me fera enrager. Viens-t'en
à moi. *(Ils se rencontrent, et tombent tous deux.)* Ah! le traître! [960]
il m'a estropié. Où est-ce que tu es? Approche, que je te donne
mille coups. Je pense qu'il me fuit.

COLIN. — Assurément.

GEORGE DANDIN. — Veux-tu venir?

COLIN. — Nenni, ma foi! [965]

GEORGE DANDIN. — Viens, te dis-je.

COLIN. — Point : vous me voulez [1] battre.

GEORGE DANDIN. — Hé bien! non, je ne te ferai rien.

COLIN. — Assurément?

GEORGE DANDIN. — Oui. Approche. *(A Colin, qu'il tient par le bras.)* [970]
Bon! Tu es bien heureux de ce que j'ai besoin de toi. Va-t'en vite,
de ma part, prier mon beau-père et ma belle-mère de se rendre ici
le plus tôt qu'ils pourront, et leur dis [2] que c'est pour une affaire
de la dernière conséquence; et, s'ils faisaient quelque difficulté
à cause de l'heure, ne manque pas de les presser et de leur bien [975]
faire entendre qu'il est très important qu'ils viennent, en quelque
état qu'ils soient. Tu m'entends [3] bien maintenant?

COLIN. — Oui, Monsieur.

GEORGE DANDIN. — Va vite, et reviens de même. *(Se croyant seul.)*
Et moi, je vais rentrer dans ma maison, attendant que... Mais [980]
j'entends quelqu'un. Ne serait-ce point ma femme? Il faut que
j'écoute et me serve de l'obscurité qu'il fait. *(George Dandin se
range près de la porte de sa maison.)*

SCÈNE V. — ANGÉLIQUE, CLITANDRE, CLAUDINE, LUBIN, GEORGE DANDIN.

ANGÉLIQUE, *à Clitandre*. — Adieu. Il est temps de se retirer.

CLITANDRE. — Quoi! si tôt? [985]

ANGÉLIQUE. — Nous nous sommes assez entretenus.

CLITANDRE. — Ah! Madame, puis-je assez vous entretenir, et trouver
en si peu de temps toutes les paroles dont j'ai besoin? Il me
faudrait des journées entières pour me bien expliquer à vous de [4]
tout ce que je sens, et je ne vous ai pas dit encore la moindre [990]
partie de ce que j'ai à vous dire.

ANGÉLIQUE. — Nous en écouterons une autre fois davantage.

---

1. Voir p. 30, note 4. — 2. Inversion fréquente au XVIIe siècle. — 3. *Entendre :* porter
son attention vers, prêter l'oreille à (et non, comme souvent au XVIIe siècle, comprendre).
— 4. *S'expliquer de* quelque chose à quelqu'un est une construction classique fréquemment
attestée.

CLITANDRE. — Hélas! de quel coup me percez-vous l'âme, lorsque vous parlez de vous retirer; et avec combien de chagrin m'allez-vous laisser maintenant!   995

■■■

- **Acte III, scène 3.** — L'obscurité, jusqu'ici prétexte à deux scènes de farce, devient un ressort dramatique en permettant une nouvelle sottise de Lubin sans trop forcer la vraisemblance.

① Sans cet artifice il eût été en effet impossible de faire jouer à Lubin le même rôle que dans les deux premiers actes; montrez-le.
Mais la farce ne perd pas non plus ses droits dans cette scène, avec en particulier le baiser de Lubin et le qualificatif de *petite menotte* (l. 931) appliqué à la main de George Dandin.

② Relevez tous les traits comiques (situation, vocabulaire).

Scène 4. — La situation se précipite. Mais l'art de Molière est de faire obstacle à la précipitation manifestée par George Dandin à la fin de la scène 3 : Colin, abruti et à moitié endormi, retarde l'action dans une scène de farce traditionnelle.

③ Étudiez les éléments du comique de gestes dans cette scène.

Scène 5. — C'est la première fois, depuis le début de l'acte, qu'une scène échappe à la farce. L'imprudente et trop hardie Angélique accompagne Clitandre dans la rue, et les deux jeunes gens échangent des propos galants, outrageants pour George Dandin.

④ Montrez comment Clitandre joue habilement sur trois registres propres à séduire Angélique : la passion, la jalousie, la flatterie.
Noter que Don Juan disait déjà à Charlotte, la fiancée de Pierrot (Molière, *Dom Juan*, II, 2, éd. Bordas, l. 565-568) : « Quoi? une personne comme vous serait la femme d'un simple paysan! Non, non : c'est profaner tant de beautés, et vous n'êtes pas né pour demeurer dans un village. Vous méritez sans doute une meilleure fortune... »
Mais il faut aussi comparer cette scène à la scène 3 de *la Jalousie du Barbouillé* (éd. Bordas, l. 118-128) :

> ANGÉLIQUE. — Monsieur, je vous assure que vous m'obligez beaucoup de me tenir quelquefois compagnie; mon mari est si mal bâti, si débauché, si ivrogne, que ce m'est un supplice d'être avec lui, et je vous laisse à penser quelle satisfaction on peut avoir d'un rustre comme lui.
> VALÈRE. — Mademoiselle, vous me faites trop d'honneur de me vouloir souffrir; et je vous promets de contribuer de tout mon pouvoir à votre divertissement, et puisque vous témoignez que ma compagnie ne vous est point désagréable, je vous ferai connaître combien j'ai de joie de la bonne nouvelle que vous m'apprenez, par mes empressements.

⑤ Après les galanteries de cette scène, le mari bafoué ne semble pas autrement·troublé : étudiez son comportement et son langage de ce point de vue et montrez qu'il ne songe qu'à satisfaire son amour-propre.

■■■

ANGÉLIQUE. — Nous trouverons moyen de nous revoir.

CLITANDRE. — Oui; mais je songe qu'en me quittant vous allez trouver un mari. Cette pensée m'assassine, et les privilèges qu'ont les maris sont des choses cruelles pour un amant qui aime bien. 1000

ANGÉLIQUE. — Serez-vous assez fou[1] pour avoir cette inquiétude, et pensez-vous qu'on soit capable d'aimer de certains maris qu'il y a? On les prend parce qu'on ne s'en peut défendre, et que l'on dépend de parents qui n'ont des yeux que pour le bien[2]; mais on sait leur rendre justice, et l'on se moque fort de les considérer[3] 1005 au delà de ce qu'ils méritent.

GEORGE DANDIN, *à part.* — Voilà nos carognes[4] de femmes!

CLITANDRE. — Ah! qu'il faut avouer que celui qu'on vous a donné était peu digne de l'honneur qu'il a reçu, et que c'est une étrange chose que l'assemblage[5] qu'on a fait d'une personne comme 1010 vous avec un homme comme lui!

GEORGE DANDIN, *à part.* — Pauvres maris! voilà comme on vous traite.

CLITANDRE. — Vous méritez, sans doute, une toute autre destinée; et le Ciel ne vous a point faite pour être la femme d'un paysan.

GEORGE DANDIN. — Plût au Ciel fût-elle[6] la tienne! tu changerais bien 1015 de langage! Rentrons; c'en est assez. (*George Dandin, étant rentré, ferme la porte en dedans.*)

Scène VI. — ANGÉLIQUE, CLITANDRE, CLAUDINE, LUBIN.

CLAUDINE. — Madame, si vous avez à dire du mal de votre mari, dépêchez vite, car il est tard.

CLITANDRE. — Ah! Claudine, que tu es cruelle! 1020

ANGÉLIQUE, *à Clitandre.* — Elle a raison. Séparons-nous.

CLITANDRE. — Il faut donc s'y résoudre, puisque vous le voulez. Mais, au moins, je vous conjure de me plaindre un peu des méchants moments que je vais passer.

ANGÉLIQUE. — Adieu. 1025

LUBIN. — Où es-tu, Claudine, que je te donne le bonsoir?

CLAUDINE. — Va, va, je le reçois de loin, et je t'en renvoie autant.

---

1. *Faible :* édition de 1734. L'édition originale proposait *fort*, ce qui ne se comprend guère mieux, même ironiquement. Despois et Mesnard (« Les Grands Écrivains de la France ») et René Bray (« Les Belles Lettres ») proposent de lire *fou*. — 2. L'argent, les biens, la fortune. — 3. *Considérer* quelqu'un : lui porter attention, en faire cas. — 4. Voir p. 42, note 3. — 5. *Assemblage* se dit, au XVIIᵉ siècle comme aujourd'hui, en parlant des choses. Mais il peut, comme ici, désigner des réunions ou des groupes de personnages lorsqu'il est précisé par un complément. — 6. Ellipse de *que* (qu'elle fût la tienne) fréquemment attestée au XVIIᵉ siècle dans cette formule.

Scène VII [a]. — ANGÉLIQUE, CLAUDINE.

ANGÉLIQUE. — Rentrons sans faire de bruit.

CLAUDINE. — La porte s'est fermée.

ANGÉLIQUE. — J'ai le passe-partout.   1030

CLAUDINE. — Ouvrez donc doucement.

ANGÉLIQUE. — On a fermé en dedans, et je ne sais comment nous ferons.

CLAUDINE. — Appelez le garçon qui couche là.

ANGÉLIQUE. — Colin! Colin! Colin!   1035

Scène VIII. — GEORGE DANDIN, ANGÉLIQUE, CLAUDINE.

GEORGE DANDIN, *à la fenêtre.* — Colin! Colin! Ah! je vous y prends donc, Madame ma femme, et vous faites des *escampativos* [1] pendant que je dors. Je suis bien aise de cela, et de vous voir dehors à l'heure qu'il est.

ANGÉLIQUE. — Hé bien! quel grand mal est-ce qu'il y a à prendre [1040] le frais de la nuit?

GEORGE DANDIN. — Oui, oui, l'heure est bonne à prendre le frais. C'est bien plutôt le chaud, Madame la coquine; et nous savons toute l'intrigue du rendez-vous, et du Damoiseau. Nous avons entendu votre galant entretien, et les beaux vers à ma louange [1045] que vous avez dits l'un et l'autre. Mais ma consolation, c'est que je vais être vengé, et que votre père et votre mère seront convaincus maintenant de la justice de mes plaintes et du dérèglement de votre conduite. Je les ai envoyé querir, et ils vont être ici dans un moment.   1050

ANGÉLIQUE, *à part.* — Ah! Ciel!

CLAUDINE. — Madame!

GEORGE DANDIN. — Voilà un coup, sans doute, où vous ne vous attendiez pas. C'est maintenant que je triomphe, et j'ai de quoi mettre à bas [2] votre orgueil et détruire vos artifices [3]. Jusques ici [1055]

---

a. *Var.* Dans les éditions antérieures à 1734, la scène 5 se terminait ici; la scène 6 allait jusqu'à l'arrivée des Sotenville (scènes 7 à 11 en 1734); et la scène 7 comprenait les scènes 12, 13 et 14 de notre édition, la scène 8 étant le bref monologue de George Dandin (scène 15 en 1734).

---

1. Des fugues. « Forme burlesque tirée d'*escamper* (vieux mot qui se disait pour : se retirer, s'enfuir), ou peut-être du latin macaronique *escampate vos* » (Littré). Mais c'est peut-être la substantivation du provençal *escampa-te*, échappe-toi, va courir les champs. — 2. Locution très usitée au XVIIe siècle. — 3. Ruses, déguisements, fraudes, pièges.

vous avez joué [1] mes accusations, ébloui vos parents [2] et plâtré vos malversations [3]. J'ai eu beau voir et beau dire, votre adresse toujours l'a emporté sur mon bon droit, et toujours vous avez trouvé moyen d'avoir raison; mais, à cette fois, Dieu merci, les choses vont être éclaircies, et votre effronterie sera pleinement [1060] confondue.

ANGÉLIQUE. — Hé! je vous prie, faites-moi ouvrir la porte.

GEORGE DANDIN. — Non, non : il faut attendre la venue de ceux que j'ai mandés, et je veux qu'ils vous trouvent dehors à la belle heure qu'il est. En attendant qu'ils viennent, songez, si vous vou- [1065] lez, à chercher dans votre tête quelque nouveau détour pour vous tirer de cette affaire, à inventer quelque moyen de rhabiller [4] votre escapade; à trouver quelque belle ruse pour éluder [5] ici les gens et paraître innocente, quelque prétexte spécieux de pèlerinage noc- turne, ou d'amie en travail d'enfant, que vous veniez de secourir. [1070]

ANGÉLIQUE. — Non : mon intention n'est pas de vous rien déguiser [6]. Je ne prétends point me défendre, ni vous nier les choses, puisque vous les savez.

GEORGE DANDIN. — C'est que vous voyez bien que tous les moyens vous en sont fermés, et que, dans cette affaire, vous ne sauriez [1075] inventer d'excuse qu'il ne me soit facile de convaincre de fausseté.

ANGÉLIQUE. — Oui, je confesse que j'ai tort et que vous avez sujet de vous plaindre. Mais je vous demande par grâce de ne m'expo- ser point maintenant à la mauvaise humeur de mes parents, et de me faire promptement ouvrir. [1080]

GEORGE DANDIN. — Je vous baise les mains [7].

ANGÉLIQUE. — Eh! mon pauvre petit mari, je vous en conjure.

GEORGE DANDIN. — Ah! mon pauvre petit mari? Je suis votre petit mari maintenant, parce que vous vous sentez prise. Je suis bien aise de cela, et vous ne vous étiez jamais avisée de me dire ces [1085] douceurs.

ANGÉLIQUE. — Tenez, je vous promets de ne vous plus donner aucun sujet de déplaisir, et de me...

GEORGE DANDIN. — Tout cela n'est rien. Je ne veux point perdre

---

1. Vous vous êtes moquée de *mes accusations*. — 2. Donc, vous les avez empêchés d'y voir distinctement. — 3. Expression imagée, mais impropre, *malversations* ne s'appliquant qu'à des actes malhonnêtes commis dans l'exercice d'un emploi (noter la valeur stylistique de cette impropriété). — 4. Raccommoder (au sens figuré); emploi classique. — 5. *Éluder* quelqu'un : le tromper complètement. — 6. De vous déguiser quelque chose; voir p. 62, note 2, pour l'emploi de *rien* avec sa valeur étymologique; *déguiser :* déformer, dénaturer (ici, avec idée d'altération artificielle). — 7. Façon ironique de refuser, comme « je suis votre valet » à la fin de la scène (l. 1151).

cette aventure [1], et il m'importe qu'on soit une fois éclairci à [1090] fond de vos déportements.

ANGÉLIQUE. — De grâce, laissez-moi vous dire. Je vous demande un moment d'audience [2].

GEORGE DANDIN. — Hé bien, quoi?

ANGÉLIQUE. — Il est vrai que j'ai failli, je vous l'avoue encore [1095] une fois, et que votre ressentiment est juste; que j'ai pris le temps de sortir pendant que vous dormiez; et que cette sortie est un rendez-vous que j'avais donné à la personne que vous dites. Mais enfin ce sont des actions que vous devez pardonner à mon âge, des emportements de jeune personne qui n'a encore rien vu [1100] et ne fait que d'entrer au monde [3]; des libertés où l'on s'abandonne, sans y penser de mal, et qui sans doute, dans le fond, n'ont rien de...

GEORGE DANDIN. — Oui : vous le dites, et ce sont de ces choses qui ont besoin qu'on les croie pieusement. [1105]

ANGÉLIQUE. — Je ne veux point m'excuser par là d'être coupable envers vous, et je vous prie seulement d'oublier une offense dont je vous demande pardon de tout mon cœur, et de m'épargner en cette rencontre le déplaisir que me pourraient causer les reproches fâcheux de mon père et de ma mère. Si vous m'accor- [1110] dez généreusement la grâce que je vous demande, ce procédé obligeant, cette bonté que vous me ferez voir, me gagnera entièrement. Elle touchera tout à fait mon cœur, et y fera naître pour vous ce que tout le pouvoir de mes parents et les liens du mariage n'avaient pu y jeter. En un mot, elle sera cause que je [1115] renoncerai à toutes les galanteries et n'aurai de l'attachement que pour vous. Oui, je vous donne ma parole que vous m'allez voir [4] désormais la meilleure femme du monde, et que je vous témoignerai tant d'amitié [5], tant d'amitié, que vous en serez satisfait. [1120]

GEORGE DANDIN. — Ah! crocodile, qui flattes les gens pour les étrangler [6].

ANGÉLIQUE. — Accordez-moi cette faveur.

GEORGE DANDIN. — Point d'affaires. Je suis inexorable.

ANGÉLIQUE. — Montrez-vous généreux. [1125]

---

1. *Perdre* le bénéfice de cette chance. — 2. D'attention (latin *audientia* = action d'entendre). — 3. *Au* marque un rapport de lieu, là où nous mettrions « dans ». — 4. Voir p. 30, note 4. — 5. D'amour. — 6. Cf. *le Dépit amoureux* (vers 331-332) :
   « M'oses-tu bien encor parler, femelle inique, *Crocodile* trompeur... »
« Gesner dit, dans son *Histoire des animaux*, t. II, p. 16, Francfort, 1617, que selon quelques auteurs, le crocodile, quand il voit de loin un homme, se met à pleurer (pour l'attirer sans doute), puis bientôt après, il le dévore » (Littré). On voit dans cette croyance l'origine quasi proverbiale de la phrase de George Dandin.

GEORGE DANDIN. — Non.

ANGÉLIQUE. — De grâce!

■■

● **La porte fermée**

Nous sommes arrivés au noyau originel de l'œuvre : la porte fermée, les supplications de la femme, la ruse pour faire sortir le mari, et le retournement de situation.

On lisait déjà dans *la Discipline de clergie* (voir notre introduction p. 21) : « La femme lui pria merci et lui promist que jamais tel cas ne lui avendroit. Prières ne lui valurent riens, car le mari estoit iriez et courrouchiez [...]. La dame qui estoit plaine de art et d'engin, prist une pierre et la jetta ou puits... » Et l'on connaît la suite.

Il est plus intéressant de citer en entier les scènes X et XI de *la Jalousie du Barbouillé*, pour voir à quel point Molière a suivi de près ce canevas dans la scène 8 de *George Dandin* (cf. Appendice aux *Précieuses ridicules*, éd. Bordas, p. 99, l. 279-354) :

SCÈNE X. — ANGÉLIQUE.

Que je suis malheureuse! J'ai été trop tard, l'assemblée est finie : je suis arrivée justement comme tout le monde sortait; mais il n'importe, ce sera pour une autre fois. Je m'en vais cependant au logis comme si de rien n'était. Mais la porte est fermée. Cathau! Cathau! [280]

SCÈNE XI. — LE BARBOUILLÉ *à la fenêtre*, ANGÉLIQUE.

LE BARBOUILLÉ. — « Cathau! Cathau! » Eh bien! qu'a-t-elle fait, Cathau? et d'où venez-vous, Madame la carogne, à l'heure qu'il est, et par le temps qu'il fait? [285]

ANGÉLIQUE. — D'où je viens? Ouvre-moi seulement, et je te le dirai après.

LE BARBOUILLÉ. — Oui? Ah! ma foi, tu peux aller coucher d'où tu viens ou, si tu l'aimes mieux, dans la rue; je n'ouvre pas à une coureuse comme toi. Comment, diable! être toute seule à l'heure qu'il est! Je ne sais si c'est imagination, mais mon front m'en paraît plus rude de moitié. [290]

ANGÉLIQUE. — Hé bien! pour être toute seule, qu'en veux-tu dire? Tu me querelles quand je suis en compagnie : comment faut-il donc faire? [295]

LE BARBOUILLÉ. — Il faut être retirée à la maison, donner ordre au souper, avoir soin du ménage, des enfants; mais sans tant de discours inutiles, adieu, bonsoir, va-t'en au diable, et me laisse en repos. [300]

ANGÉLIQUE. — Tu ne veux pas m'ouvrir?

LE BARBOUILLÉ. — Non, je n'ouvrirai pas.

ANGÉLIQUE. — Hé! mon pauvre petit mari, je t'en prie, ouvre-moi, mon cher petit cœur.

LE BARBOUILLÉ. — Ah! crocodile! ah! serpent dangereux! tu me caresses pour me trahir. [305]

ANGÉLIQUE. — Ouvre, ouvre donc!

LE BARBOUILLÉ. — Adieu! *Vade retro, Satanas!*

ANGÉLIQUE. — Quoi! tu ne m'ouvriras point?

LE BARBOUILLÉ. — Non. [310]

ANGÉLIQUE. — Tu n'as point de pitié de ta femme qui t'aime tant?

LE BARBOUILLÉ. — Non, je suis inflexible; tu m'as offensé, je suis vindicatif comme tous les diables, c'est-à-dire bien fort; je suis inexorable.

ANGÉLIQUE. — Sais-tu bien que si tu me pousses à bout, et que tu me [315] mettes en colère, je ferai quelque chose dont tu te repentiras?

LE BARBOUILLÉ. — Et que feras-tu, bonne chienne?

ANGÉLIQUE. — Tiens, si tu ne m'ouvres, je m'en vais me tuer devant la porte; mes parents, qui sans doute viendront ici auparavant de se coucher, pour savoir si nous sommes bien ensemble, me [320] trouveront morte, et tu seras pendu.

LE BARBOUILLÉ. — Ah, ah, ah, la bonne bête! et qui y perdra le plus de nous deux? Va, va, tu n'es pas si sotte que de faire ce coup-là.

ANGÉLIQUE. — Tu ne le crois donc pas? Tiens, tiens, voilà mon couteau [325] tout prêt; si tu ne m'ouvres, je m'en vais tout à cette heure m'en donner dans le cœur.

LE BARBOUILLÉ. — Prends garde, voilà qui est bien pointu.

ANGÉLIQUE. — Tu ne veux donc pas m'ouvrir?

LE BARBOUILLÉ. — Je t'ai déjà dit vingt fois que je n'ouvrirai point; tue-[330] toi, crève, va-t'en au diable, je ne m'en soucie pas.

ANGÉLIQUE, *faisant semblant de se frapper.* — Adieu donc!... Ay! je suis morte.

LE BARBOUILLÉ. — Serait-elle bien assez sotte pour avoir fait ce coup-là? Il faut que je descende avec la chandelle pour aller voir. [335]

ANGÉLIQUE. — Il faut que je l'attrape. Si je peux entrer dans la maison subtilement, cependant que tu me chercheras, chacun aura bien son tour.

LE BARBOUILLÉ. — Hé bien, ne savais-je pas bien qu'elle n'était pas si sotte? Elle est morte, et si, elle court comme le cheval de Pacolet. [340] Ma foi, elle m'avait fait peur tout de bon. Elle a bien fait de gagner au pied, car si je l'eusse trouvée en vie, après m'avoir fait cette frayeur-là, je lui aurais apostrophé cinq ou six clystères de coups de pieds dans le cul, pour lui apprendre à faire la bête. Je m'en vais me coucher cependant. Oh! oh! je pense que le vent a fermé la porte. [345] Hé! Cathau! Cathau! ouvre-moi.

ANGÉLIQUE. — « Cathau! Cathau! » Hé bien, qu'a-t-elle fait, Cathau? Et d'où venez-vous, Monsieur l'ivrogne? Ah! vraiment, va, mes parents, qui vont venir dans un moment, sauront tes vérités. Sac à vin infâme, tu ne bouges du cabaret, et tu laisses une pauvre [350] femme avec des petits enfants, sans savoir s'ils ont besoin de quelque chose, à croquer le marmot tout le long du jour.

LE BARBOUILLÉ. — Ouvre vite, diablesse que tu es, ou je te casserai la tête.

Notons au passage que George Dandin emploie à un certain moment la même insulte que le Barbouillé (en référence au même proverbe populaire) : *crocodile* (*Barbouillé*, l. 305; *Dandin*, l. 1121) et que cet emploi est fort rare chez Molière (une seule autre mention : *le Dépit amoureux*, vers 331).

① Pensez-vous que George Dandin ait raison, ou qu'il ait tort de ne pas faire confiance aux promesses de sa femme?

② Montrez que les serments d'Angélique sont beaucoup plus développés dans *George Dandin* que dans *la Jalousie du Barbouillé*, et étudiez l'aspect raisonneur du caractère de la jeune femme : montrez qu'elle fait un véritable plaidoyer en forme et en plusieurs points.

③ Étudiez combien George Dandin est ridicule et buté.

④ Analysez le comique de la situation dans la scène XI et montrez qu'il est difficile de s'apitoyer sur le sort du mari bafoué. L'impression de farce, ne l'oublions pas, doit encore s'accentuer à la représentation.

GEORGE DANDIN. — Point.

ANGÉLIQUE. — Je vous en conjure de tout mon cœur.

GEORGE DANDIN. — Non, non, non. Je veux qu'on soit détrompé [1130] de vous, et que votre confusion éclate.

ANGÉLIQUE. — Hé bien! si vous me réduisez au désespoir, je vous avertis qu'une femme en cet état est capable de tout, et que je ferai quelque chose ici dont vous vous repentirez.

GEORGE DANDIN. — Et que ferez-vous, s'il vous plaît? [1135]

ANGÉLIQUE. — Mon cœur se portera jusqu'aux extrêmes résolutions, et, de ce couteau que voici, je me tuerai sur la place.

GEORGE DANDIN. — Ah! ah! à la bonne heure.

ANGÉLIQUE. — Pas tant à la bonne heure pour vous que vous vous imaginez. On sait de tous côtés nos différends, et les chagrins[1] [1140] perpétuels que vous concevez contre moi. Lorsqu'on me trouvera morte, il n'y aura personne qui mette en doute que ce ne soit vous qui m'aurez tuée; et mes parents ne sont pas gens assurément à laisser cette mort impunie, et ils en feront sur votre personne toute la punition que leur pourront offrir et les pour- [1145] suites de la justice, et la chaleur de leur ressentiment. C'est par là que je trouverai moyen de me venger de vous; et je ne suis pas la première qui ait su recourir à de pareilles vengeances, qui n'ait pas fait difficulté de se donner la mort pour perdre ceux qui ont la cruauté de nous pousser à la dernière extrémité. [1150]

GEORGE DANDIN. — Je suis votre valet[2]. On ne s'avise plus de se tuer soi-même, et la mode en est passée il y a longtemps.

ANGÉLIQUE. — C'est une chose dont vous pouvez tenir sûr; et, si vous persistez dans votre refus, si vous ne me faites ouvrir, je vous jure que tout à l'heure[3] je vais vous faire voir jusques [1155] où peut aller la résolution d'une personne qu'on met au désespoir.

GEORGE DANDIN. — Bagatelles, bagatelles. C'est pour me faire peur.

ANGÉLIQUE. — Hé bien! puisqu'il le faut, voici qui nous contentera tous deux, et montrera si je me moque. *(Après avoir fait semblant* [1160] *de se tuer.)* Ah! c'en est fait. Fasse le Ciel que ma mort soit vengée comme je le souhaite, et que celui qui en est la cause reçoive un juste châtiment de la dureté qu'il a eue pour moi!

GEORGE DANDIN. — Ouais! serait-elle bien si malicieuse[4] que de s'être tuée pour me faire pendre? Prenons un bout de chandelle [1165] pour aller voir.

---

1. *Chagrins :* mauvaise humeur, mécontentement, accès d'irritation (sans idée d'affliction ni d'ennui). — 2. Voir p. 76, note 7. — 3. Sur l'heure, dès maintenant. — 4. Maligne, méchante (latin *malitia* = tendance au mal).

Scène IX. — ANGÉLIQUE, CLAUDINE.

ANGÉLIQUE, *à Claudine*. — St [1]. Paix ! Rangeons-nous chacune immédiatement contre un des côtés de la porte.

Scène X. — ANGÉLIQUE ET CLAUDINE, *entrant dans la maison au moment que George Dandin en sort, et fermant la porte en dedans ;* GEORGE DANDIN, *une chandelle à la main.*

GEORGE DANDIN. — La méchanceté d'une femme irait-elle bien jusque-là ? *(Seul, après avoir regardé partout.)* Il n'y a personne. [1170] Eh ! je m'en étais bien douté, et la pendarde s'est retirée, voyant qu'elle ne gagnait rien après moi [2], ni par prières ni par menaces. Tant mieux ! cela rendra ses affaires encore plus mauvaises, et le père et la mère, qui vont venir, en verront mieux son crime. *(Après avoir été à la porte de sa maison pour rentrer.)* Ah ! ah ! la [1175] porte s'est fermée. Holà, ho ! quelqu'un ! qu'on m'ouvre promptement !

Scène XI. — ANGÉLIQUE ET CLAUDINE, *à la fenêtre ;* GEORGE DANDIN.

ANGÉLIQUE. — Comment ! c'est toi ? D'où viens-tu, bon pendard ? Est-il l'heure de revenir chez soi quand le jour est près de paraître ? et cette manière de vie est-elle celle que doit suivre un honnête [1180] mari ?

CLAUDINE. — Cela est-il beau, d'aller ivrogner [3] toute la nuit ? et de laisser ainsi toute seule une pauvre jeune femme dans la maison ?

GEORGE DANDIN. — Comment ! vous avez... [1185]

ANGÉLIQUE. — Va, va, traître, je suis lasse de tes déportements, et je m'en veux plaindre, sans plus tarder à mon père et à ma mère.

GEORGE DANDIN. — Quoi ! c'est ainsi que vous osez...

Scène XII. — MONSIEUR ET MADAME DE SOTENVILLE, *en déshabillé de nuit ;* COLIN, *portant une lanterne ;* ANGÉLIQUE ET CLAUDINE, *à la fenêtre ;* GEORGE DANDIN.

ANGÉLIQUE, *à Monsieur et à Madame de Sotenville.* — Approchez, de grâce, et venez me faire raison de l'insolence la plus grande [1190]

---

1. Voir p. 69, note. — 2. En s'en prenant à *moi*. — 3. Se conduire en ivrogne, s'enivrer (seul exemple de ce verbe chez Molière, mais il est attesté chez Vaugelas).

du monde d'un mari à qui le vin et la jalousie ont troublé de telle sorte la cervelle, qu'il ne sait plus ni ce qu'il dit, ni ce qu'il fait, et vous a lui-même envoyé querir pour vous faire témoins de l'extravagance la plus étrange dont on ait jamais ouï parler. Le voilà qui revient, comme vous voyez, après s'être fait attendre [1195] toute la nuit ; et, si vous voulez l'écouter, il vous dira qu'il a les plus grandes plaintes du monde à vous faire de moi ; que, durant qu'il dormait, je me suis dérobée d'auprès de lui pour m'en aller courir, et cent autres contes de même nature qu'il est allé rêver.

GEORGE DANDIN, *à part*. — Voilà une méchante carogne [1]. [1200]

CLAUDINE. — Oui, il nous a voulu faire accroire qu'il était dans la maison et que nous étions dehors ; et c'est une folie qu'il n'y a pas moyen de lui ôter de la tête.

MONSIEUR DE SOTENVILLE. — Comment ! Qu'est-ce à dire cela ?

MADAME DE SOTENVILLE. — Voilà une furieuse impudence, que de [1205] nous envoyer querir.

GEORGE DANDIN. — Jamais...

ANGÉLIQUE. — Non, mon père, je ne puis plus souffrir un mari de la sorte. Ma patience est poussée à bout, et il vient de me dire cent paroles injurieuses. [1210]

MONSIEUR DE SOTENVILLE, *à Georges Dandin*. — Corbleu [2] ! vous êtes un malhonnête homme.

CLAUDINE. — C'est une conscience de voir une pauvre jeune femme traitée de la façon [3], et cela crie vengeance au Ciel.

GEORGE DANDIN. — Peut-on... ? [1215]

MONSIEUR DE SOTENVILLE. — Allez, vous devriez mourir de honte.

GEORGE DANDIN. — Laissez-moi vous dire deux mots.

ANGÉLIQUE. — Vous n'avez qu'à l'écouter, il va vous en conter de belles.

GEORGE DANDIN, *à part*. — Je désespère. [1220]

CLAUDINE. — Il a tant bu, que je ne pense pas qu'on puisse durer contre lui [4], et l'odeur du vin qu'il souffle est montée jusqu'à nous.

GEORGE DANDIN. — Monsieur mon beau-père, je vous conjure...

MONSIEUR DE SOTENVILLE. — Retirez-vous : vous puez le vin à pleine bouche. [1225]

GEORGE DANDIN. — Madame, je vous prie...

MADAME DE SOTENVILLE. — Fi ! ne m'approchez pas : votre haleine est empestée.

GEORGE DANDIN, *à Monsieur de Sotenville*. — Souffrez que je vous...

---

1. Voir p. 42, note 3. — 2. Voir p. 34, note 3. — 3. *De* cette *façon*. — 4. Résister auprès de lui.

MONSIEUR DE SOTENVILLE. — Retirez-vous, vous dis-je : on ne peut [1230] vous souffrir.

GEORGE DANDIN, *à Madame de Sotenville.*— Permettez, de grâce, que...

MADAME DE SOTENVILLE. — Pouah! vous m'engloutissez le cœur [1]. Parlez de loin, si vous voulez.

GEORGE DANDIN. — Hé bien, oui, je parle de loin. Je vous jure que [1235] je n'ai bougé de chez moi, et que c'est elle qui est sortie.

ANGÉLIQUE. — Ne voilà pas [2] ce que je vous ai dit?

CLAUDINE. — Vous voyez quelle apparence il y a.

MONSIEUR DE SOTENVILLE, *à George Dandin.* — Allez, vous vous moquez des gens. Descendez, ma fille, et venez ici. [1240]

SCÈNE XIII. — MONSIEUR ET MADAME DE SOTENVILLE, GEORGE DANDIN, COLIN.

GEORGE DANDIN. — J'atteste le Ciel que j'étais dans la maison, et que...

MONSIEUR DE SOTENVILLE. — Taisez-vous, c'est une extravagance qui n'est pas supportable.

GEORGE DANDIN. — Que la foudre m'écrase tout à l'heure si...! [1245]

MONSIEUR DE SOTENVILLE. — Ne nous rompez pas davantage la tête, et songez à demander pardon à votre femme.

GEORGE DANDIN. — Moi! demander pardon?

MONSIEUR DE SOTENVILLE. — Oui, pardon, et sur-le-champ.

GEORGE DANDIN. — Quoi? je... [1250]

MONSIEUR DE SOTENVILLE. — Corbleu [3]! si vous me répliquez, je vous apprendrai ce que c'est que de vous jouer à nous.

GEORGE DANDIN. — Ah! George Dandin!

SCÈNE XIV. — MONSIEUR ET MADAME DE SOTENVILLE, ANGÉLIQUE, GEORGE DANDIN, CLAUDINE, COLIN.

MONSIEUR DE SOTENVILLE. — Allons, venez, ma fille, que votre mari vous demande pardon. [1255]

ANGÉLIQUE. — Moi, lui pardonner tout ce qu'il m'a dit? Non, non, mon père, il m'est impossible de m'y résoudre, et je vous prie de me séparer d'un mari avec lequel je ne saurais plus vivre.

CLAUDINE. — Le moyen d'y résister?

MONSIEUR DE SOTENVILLE. — Ma fille, de semblables séparations [1260] ne se font point sans grand scandale, et vous devez vous

---

1. Expression recherchée : vous me noyez le cœur de dégoût. — 2. *Il* est souvent supprimé, au XVIIᵉ siècle, après *voilà*, dans une interrogation ou une exclamation; cf. *Tartuffe*, v. 1607 : « Hé bien! Ne voilà pas de vos emportements? » — 3. Voir p. 34, note 3.

montrer plus sage que lui, et patienter encore cette fois.

ANGÉLIQUE. — Comment patienter, après de telles indignités?
Non, mon père, c'est une chose où [1] je ne puis consentir.

MONSIEUR DE SOTENVILLE. — Il le faut, ma fille, et c'est moi qui vous [1265]
le commande.

ANGÉLIQUE. — Ce mot me ferme la bouche, et vous avez sur moi
une puissance absolue.

CLAUDINE. — Quelle douceur!

ANGÉLIQUE. — Il est fâcheux d'être contrainte d'oublier de telles [1270]
injures; mais quelle violence que je me fasse [2], c'est à moi de
vous obéir.

CLAUDINE. — Pauvre mouton!

MONSIEUR DE SOTENVILLE, *à Angélique.* — Approchez.

ANGÉLIQUE. — Tout ce que vous me faites faire ne servira de rien, [1275]
et vous verrez que ce sera dès demain à recommencer.

MONSIEUR DE SOTENVILLE. — Nous y donnerons ordre. *(A George
Dandin.)* Allons, mettez-vous à genoux.

GEORGE DANDIN. — A genoux?

MONSIEUR DE SOTENVILLE. — Oui, à genoux, et sans tarder. [1280]

GEORGE DANDIN, *à genoux, une chandelle à la main, à part.* — Ô Ciel!
(A Monsieur de Sotenville.) Que faut-il dire?

MONSIEUR DE SOTENVILLE. — « Madame, je vous prie de me pardonner. »

GEORGE DANDIN. — Madame, je vous prie de me pardonner. [1285]

MONSIEUR DE SOTENVILLE. — « L'extravagance que j'ai faite. »

GEORGE DANDIN. — L'extravagance que j'ai faite *(à part)* de vous
épouser.

MONSIEUR DE SOTENVILLE. — « Et je vous promets de mieux vivre
à l'avenir. » [1290]

GEORGE DANDIN. — Et je vous promets de mieux vivre à l'avenir.

MONSIEUR DE SOTENVILLE, *à George Dandin.* — Prenez-y garde, et
sachez que c'est ici la dernière de vos impertinences que nous
souffrirons.

MADAME DE SOTENVILLE. — Jour de Dieu! si vous y retournez, on [1295]
vous apprendra le respect que vous devez à votre femme et à ceux
de qui elle sort.

MONSIEUR DE SOTENVILLE. — Voilà le jour qui va paraître. Adieu.
(A George Dandin.) Rentrez chez vous, et songez bien à être
sage. *(A Madame de Sotenville.)* Et nous, mamour [3], allons nous [1300]
mettre au lit.

---

1. A laquelle (usage fréquent de *où* à la place du relatif accompagné d'une préposition). —
2. Quelque *violence que je me fasse;* tournure archaïque. — 3. Voir p. 34, note 2.

Scène XV. — GEORGE DANDIN, *seul.*

Ah ! je le quitte [1] maintenant, et je n'y vois plus de remède :
lorsqu'on a, comme moi, épousé une méchante femme, le meilleur
parti qu'on puisse prendre, c'est de s'aller jeter dans l'eau la
tête la première.   1305

---

1. *Le*, complément, a souvent, comme *il*, sujet, le sens neutre. *Je le quitte* = j'y renonce.

● **Le dénouement**

La **scène 12** (à rapprocher de *la Jalousie du Barbouillé* et de Boccace,
Décaméron, nouvelles IV et VIII, voir ci-après Appencide IV, p. 112
et p. 116) est encore une scène de farce : comique de gestes et comique
de mots.

Mais le comique de mœurs et même de caractères n'en est pas absent,
puisque les Sotenville y confirment leur bêtise et leur crédulité (noter
le comique des allusions à l'haleine de George Dandin).

Scènes 13 et 14. — Aucun serment du mari bafoué ne peut aller contre
l'évidence et, de même qu'à l'acte I George Dandin avait dû demander
pardon à Clitandre, il doit ici se mettre à genoux devant Angélique et
subir les réprimandes de ses beaux-parents.

① Pensez-vous, comme on l'a écrit, que le rire des spectateurs soit
alors réticent? « On rit dans la salle, mais du bout des lèvres : car on
ne peut admettre que le paysan n'ait pas un moment de révolte contre
sa femme et ses parents » (Émile Fabre, *op. cit.*, p. 167).
Ne perdons pas de vue que le jeu des acteurs doit accentuer l'aspect
grotesque de la scène et que l'on doit s'esclaffer devant un Dandin
soudain vaincu, transformé en *mouton*, risible à force de docilité;
la vraisemblance psychologique n'a rien à voir ici.

Scène 15. — George Dandin clôt la pièce par un monologue où il rappelle
la portée sociale de la comédie. Oubliant avoir dit, à la scène VIII du
même acte (l. 1151-52) : « On ne s'avise plus de se tuer soi-même, et la
mode en est passée il y a longtemps », il parle de se suicider, et un esprit
moderne serait tenté de le prendre au pied de la lettre. Mais il ne faut
pas pousser la situation au noir : George Dandin est ulcéré de l'échec de
ses trois tentatives pour se venger de l'insolence des Sotenville; mais,
vaniteux et médiocre, il se consolera vite en songeant que ses enfants
seront gentilshommes. Dans le divertissement de Versailles « un de ses
amis lui conseille de noyer dans le vin toutes ses inquiétudes, et l'emmène
pour joindre sa troupe, voyant venir toute la foule des Bergers amoureux,
qui commence à célébrer par des chants et des danses le pouvoir de
l'Amour » (voir ci-après Appendice, II, p. 104, l. 205-210).

GEORGE DANDIN, seul. — ... *lorsqu'on a,*
comme moi, épousé une méchante femme,
le meilleur parti qu'on puisse prendre
c'est de s'aller jeter dans l'eau la
tête la première.

(Acte III, scène dernière)

Robert Hirsch dans le rôle de George Dandin
Comédie-Française, 1970

APPENDICE

Nous donnons ci-dessous (I) le programme du grand divertissement dans lequel fut inséré la comédie de Molière, et qui fut publié avant la fête.

Nous le faisons suivre (II) de quelques extraits de la relation de la fête de Versailles, écrite et publiée par FÉLIBIEN, historiographe des bâtiments du roi (1619-1695).

I

LE GRAND DIVERTISSEMENT ROYAL
DE VERSAILLES

SUJET DE LA COMÉDIE QUI SE DOIT FAIRE
A LA GRANDE FÊTE DE VERSAILLES

Du prince des François rien ne borne la gloire;
A tout elle s'étend, et chez les nations
        Les vérités de son histoire
Vont passer des vieux temps toutes les fictions.
On aura beau chanter les restes magnifiques   5
        De tous ces destins héroïques
Qu'un bel art prit plaisir d'élever jusqu'aux cieux :
On en voit par ses faits la splendeur effacée,
        Et tous ces fameux demi-dieux
        Dont fait bruit l'histoire passée   10
        Ne sont point à notre pensée
        Ce que LOUIS *est à nos yeux.*

Pour passer du langage des Dieux au langage des hommes, le ROI est un grand roi en tout, et nous ne voyons point que sa gloire soit retranchée à quelques qualités hors desquelles il tombe dans   15
le commun des hommes. Tout se soutient d'égale force en lui; il n'y a point d'endroit par où il lui soit désavantageux d'être regardé,

et de quelque vue que vous le preniez, même grandeur, même éclat se rencontre ; c'est un roi de tous les côtés : nul emploi ne l'abaisse, aucune action ne le défigure, il est toujours lui-même, et partout 20 on le reconnoît. Il y a du héros dans toutes les choses qu'il fait ; et jusques aux affaires de plaisir, il y fait éclater une grandeur qui passe tout ce qui a été vu jusques ici.

Cette nouvelle fête de Versailles le montre pleinement : ce sont des prodiges et des miracles aussi bien que le reste de ses actions ; 25 et si vous avez vu sur nos frontières les provinces conquises en une semaine d'hiver, et les puissantes villes forcées en faisant chemin, on voit ici sortir, en moins de rien, du milieu des jardins, les superbes palais et les magnifiques théâtres, de tous côtés enrichis d'or et de grandes statues, que la verdure égaye, et que cent jets 30 d'eau rafraîchissent. On ne peut rien imaginer de plus pompeux ni de plus surprenant ; et l'on diroit que ce digne monarque a voulu faire voir ici qu'il sait maîtriser pleinement l'ardeur de son courage, prenant soin de parer de toutes ces magnificences les beaux jours d'une paix où son grand cœur a résisté, et à laquelle il ne 35 s'est relâché que par les prières de ses sujets.

Je n'entreprends point de vous écrire le détail de toutes ces merveilles : un de nos beaux esprits [1] est chargé d'en faire le récit, et je m'arrête à la comédie dont, par avance, vous me demandez des nouvelles. 40

C'est Molière qui l'a faite. Comme je suis fort de ses amis, je trouve à propos de ne vous en dire ni bien ni mal, et vous en jugerez quand vous l'aurez vue : je dirai seulement qu'il seroit à souhaiter pour lui que chacun eût les yeux qu'il faut pour tous les impromptus de comédie, et que l'honneur d'obéir promptement au 45 Roi pût faire dans les esprits des auditeurs une partie du mérite de ces sortes d'ouvrages.

Le sujet est un Paysan qui s'est marié à la fille d'un gentilhomme, et qui, dans tout le cours de la comédie, se trouve puni de son ambition. Puisque vous la devez voir, je me garderai, pour 50 l'amour de vous, de toucher au détail, et je ne veux point lui ôter la grâce de la nouveauté, et à vous le plaisir de la surprise ; mais comme ce sujet est mêlé avec une espèce de comédie en musique et ballet, il est bon de vous expliquer l'ordre de tout cela, et de vous dire les vers qui se chantent. 55

Notre nation n'est guère faite à la comédie en musique, et je ne puis pas répondre comme cette nouveauté-ci réussira. Il ne faut

---

1. Félibien.

rien souvent pour effaroucher les esprits des François : un petit mot tourné en ridicule, une syllabe qui, avec un air un peu rude, s'approchera d'une oreille délicate, un geste d'un musicien qui n'aura pas peut-être encore au théâtre la liberté qu'il faudroit, une perruque tant soit peu de côté, un ruban qui pendra, la moindre chose est capable de gâter toute une affaire; mais enfin il est assuré, au sentiment des connoisseurs qui ont vu la répétition, que Lully n'a jamais rien fait de plus beau, soit pour la musique, soit pour les danses, et que tout y brille d'invention. En vérité, c'est un admirable homme, et le Roi pourroit perdre beaucoup de gens considérables qui ne lui seroient pas si malaisés à remplacer que celui-là.

Toute l'affaire se passe dans une grande fête champêtre.

L'OUVERTURE en est faite par quatre illustres Bergers, déguisés en valets de fêtes [1], lesquels, accompagnés de quatre autres Bergers qui jouent de la flûte [2], font une danse qui interrompt les rêveries du Paysan marié, et l'oblige à se retirer après quelque contrainte.

Climène et Cloris, deux Bergères amies, s'avisent, au son des flûtes, de chanter cette

CHANSONNETTE

L'autre jour d'Annette
J'entendis la voix,
Qui sur la musette
Chantoit dans nos bois :
« Amour, que sous ton empire
On souffre de maux cuisants!
Je le puis bien dire,
Puisque je le sens. »

La jeune Lisette,
Au même moment,
Sur le ton d'Annette,
Reprit tendrement :
« Amour, si sous ton empire
Je souffre des maux cuisants,
C'est de n'oser dire
Tout ce que je sens. »

Tircis et Philène, amants de ces deux Bergères, les abordent pour leur parler de leur passion et font avec elles une

---

1. Beauchamp, Saint-André, La Pierre, Favier. — 2. Descouteaux, Philibert, Jean et Martin Hottère (*Notes imprimées en marge de l'édition originale ainsi que les suivantes.*)

SCÈNE EN MUSIQUE

CLORIS

Laissez-nous en repos, Philène.   95

CLIMÈNE

Tircis, ne viens point m'arrêter.

TIRCIS et PHILÈNE

Ah! belle inhumaine,
Daigne un moment m'écouter.

CLIMÈNE et CLORIS

Mais que me veux-tu conter?

LES DEUX BERGERS

Que d'une flamme immortelle
Mon cœur brûle sous tes lois.   100

LES DEUX BERGÈRES

Ce n'est pas une nouvelle,
Tu me l'as dit mille fois.

PHILÈNE

Quoi? veux-tu, toute ma vie,
Que j'aime et n'obtienne rien?   105

CLORIS

Non, ce n'est pas mon envie :
N'aime plus, je le veux bien.

TIRCIS

Le Ciel me force à l'hommage
Dont tous ces bois sont témoins.

CLIMÈNE

C'est au Ciel, puisqu'il t'engage,   110
A te payer de tes soins.

PHILÈNE

C'est par ton mérite extrême
Que tu captives mes vœux.

CLORIS

Si je mérite qu'on m'aime,
Je ne dois rien à tes feux.   115

LES DEUX BERGERS

L'éclat de tes yeux me tue.

LES DEUX BERGÈRES
Détourne de moi tes pas.

LES DEUX BERGERS
Je me plais dans cette vue.

LES DEUX BERGÈRES
Berger, ne t'en plains donc pas.

PHILÈNE
Ah! belle Climène.   120

TIRCIS
Ah! belle Cloris.

PHILÈNE
Rends-la pour moi plus humaine.

TIRCIS
Dompte pour moi ses mépris.

CLIMÈNE, à Cloris.
Sois sensible à l'amour que te porte Philène.

CLORIS, à Climène.
Sois sensible à l'ardeur dont Tircis est épris.   125

CLIMÈNE
Si tu veux me donner ton exemple, Bergère,
Peut-être je le recevrai.

CLORIS
Si tu veux te résoudre à marcher la première,
Possible que je te suivrai.

CLIMÈNE, à Philène.
Adieu, Berger.   130

CLORIS, à Tircis.
Adieu, Berger.

CLIMÈNE
Attends un favorable sort.

CLORIS
Attends un doux succès du mal qui te possède.

TIRCIS
Je n'attends aucun remède,

PHILÈNE
Et je n'attends que la mort.   135

TIRCIS et PHILÈNE
Puisqu'il nous faut languir en de tels déplaisirs,
Mettons fin en mourant à nos tristes soupirs.

Ces deux Bergers s'en vont désespérés, suivant la coutume des anciens amants, qui se désespéroient de peu de chose.

Ensuite de cette musique vient   140

LE PREMIER ACTE DE LA COMÉDIE qui se récite.

Le Paysan marié y reçoit des mortifications de son mariage; et sur la fin de l'acte, dans un chagrin assez puissant, il est interrompu par une Bergère, qui lui vient faire le récit du désespoir des deux Bergers; il la quitte en colère, et fait place à Cloris, qui sur la mort de son amant vient faire une   145

PLAINTE EN MUSIQUE

Ah! mortelles douleurs!
Qu'ai-je plus à prétendre?
Coulez, coulez, mes pleurs :
Je n'en puis trop répandre.

Pourquoi faut-il qu'un tyrannique honneur   150
Tienne notre âme en esclave asservie?
Hélas! pour contenter sa barbare rigueur,
J'ai réduit mon amant à sortir de la vie.

Ah! mortelles douleurs!
Qu'ai-je plus à prétendre?   155
Coulez, coulez, mes pleurs :
Je n'en puis trop répandre.

Me puis-je pardonner, dans ce funeste sort,
Les sévères froideurs dont je m'étois armée?
Quoi donc? mon cher amant, je t'ai donné la mort : 160
Est-ce le prix, hélas! de m'avoir tant aimée?

Ah! mortelles douleurs, etc.

La fin de ces plaintes fait venir

LE SECOND ACTE DE LA COMÉDIE qui se récite.

C'est une suite des déplaisirs du Paysan marié, et la même Bergère ne manque pas de venir encore l'interrompre dans sa douleur. Elle lui raconte comme Tircis et Philène ne sont point morts,   165

et lui montre six Bateliers qui les ont sauvés; il ne veut point
s'arrêter à les voir, et les Bateliers, ravis de la récompense qu'ils
ont reçue, dansent avec leurs crocs et se jouent ensemble : après
quoi commence   170

LE TROISIÈME ACTE DE LA COMÉDIE qui se récite,

qui est le comble des douleurs du Paysan marié. Enfin un de ses
amis lui conseille de noyer dans le vin toutes ses inquiétudes, et
part avec lui pour joindre sa troupe, voyant venir toute la foule
des Bergers amoureux, qui, à la manière des anciens Bergers,
commencent à célébrer par des chants et des danses le pouvoir 175
de l'Amour.

CLORIS

Ici l'ombre des ormeaux
Donne un teint frais aux herbettes,
Et les bords de ces ruisseaux
Brillent de mille fleurettes,   180
Qui se mirent dans les eaux.

Prenez, Bergers, vos musettes,
Ajustez vos chalumeaux,
Et mêlons nos chansonnettes
Aux chants des petits oiseaux.   185

Le Zéphire entre ces eaux
Fait mille courses secrètes,
Et les rossignols nouveaux
De leurs douces amourettes
Parlent aux tendres rameaux.   190

Prenez, Bergers, vos musettes,
Ajustez vos chalumeaux,
Et mêlons nos chansonnettes
Aux chants des petits oiseaux.

Plusieurs Bergers et Bergères galantes mêlent aussi leurs pas à 195
tout ceci, et occupent les yeux, tandis que la musique occupe les
oreilles.

CLIMÈNE

Ah! qu'il est doux, belle Sylvie,
Ah! qu'il est doux de s'enflammer!
Il faut retrancher de la vie   200
Ce qu'on en passe sans aimer.

CLORIS

Ah! les beaux jours qu'Amour nous donne
Lorsque sa flamme unit les cœurs!
Est-il ni gloire ni couronne
Qui vaille ses moindres douceurs?   205

TIRCIS

Qu'avec peu de raison on se plaint d'un martyre
Que suivent de si doux plaisirs!

PHILÈNE

Un moment de bonheur dans l'amoureux empire
Répare dix ans de soupirs.

TOUS ensemble.

Chantons tous de l'Amour le pouvoir adorable,   210
Chantons tous dans ces lieux
Ses attraits glorieux :
Il est le plus aimable
Et le plus grand des Dieux.

A ces mots, toute la troupe de Bacchus arrive, et l'un d'eux [1], 215
s'avançant à la tête, chante fièrement ces paroles :

Arrêtez, c'est trop entreprendre :
Un autre Dieu dont nous suivons les lois,
S'oppose à cet honneur qu'à l'Amour osent rendre
Vos musettes et vos voix.   220
A des titres si beaux Bacchus seul peut prétendre,
Et nous sommes ici pour défendre ses droits.

CHŒUR DE BACCHUS

Nous suivons de Bacchus le pouvoir adorable;
Nous suivons en tous lieux
Ses attraits glorieux :   225
Il est le plus aimable
Et le plus grand des Dieux.

Plusieurs du parti de Bacchus mêlent aussi leurs pas à la
musique, et l'on voit ici un combat de danseurs contre danseurs,
et de chantres contre chantres.   230

---

1. D'Estival (*Note de l'édition originale*).

CLORIS

C'est le printemps qui rend l'âme
A nos champs semés de fleurs,
Mais c'est l'Amour et sa flamme
Qui font revivre nos cœurs.

UN SUIVANT DE BACCHUS

Le soleil chasse les ombres   235
Dont le ciel est obscurci,
Et des âmes les plus sombres
Bacchus chasse le souci.

CHŒUR DE BACCHUS

Bacchus est révéré sur la terre et sur l'onde.

CHŒUR DE L'AMOUR

Et l'Amour est un Dieu qu'on adore en tous lieux.   240

CHŒUR DE BACCHUS

Bacchus à son pouvoir a soumis tout le monde.

CHŒUR DE L'AMOUR

Et l'Amour a dompté les hommes et les Dieux.

CHŒUR DE BACCHUS

Rien peut-il égaler sa douceur sans seconde?

CHŒUR DE L'AMOUR

Rien peut-il égaler ses charmes précieux?

CHŒUR DE BACCHUS

Fi de l'Amour et de ses feux!   245

LE PARTI DE L'AMOUR

Ah! quel plaisir d'aimer!

LE PARTI DE BACCHUS

Ah! quel plaisir de boire!

LE PARTI DE L'AMOUR

A qui vit sans amour la vie est sans appas.

LE PARTI DE BACCHUS

C'est mourir que de vivre et de ne boire pas.

LE PARTI DE L'AMOUR

Aimables fers!   250

LE PARTI DE BACCHUS

Douce victoire!

LE PARTI DE L'AMOUR
Ah! quel plaisir d'aimer!

LE PARTI DE BACCHUS
Ah! quel plaisir de boire!

LES DEUX PARTIS
Non, non, c'est un abus.
Le plus grand Dieu de tous...   255

LE PARTI DE L'AMOUR
C'est l'Amour.

LE PARTI DE BACCHUS
C'est Bacchus.

Un Berger se jette au milieu de cette dispute [1], et chante ces vers
aux deux partis :

C'est trop, c'est trop, Bergers. Hé! pourquoi ces débats?   260
Souffrons qu'en un parti la raison nous assemble.
L'Amour a des douceurs, Bacchus a des appas;
Ce sont deux déités qui sont fort bien ensemble :
Ne les séparons pas.

LES DEUX CHŒURS ensemble.
Mêlons donc leurs douceurs aimables,   265
Mêlons nos voix dans ces lieux agréables,
Et faisons répéter aux échos d'alentour
Qu'il n'est rien de plus doux que Bacchus et l'Amour.

Tous les danseurs se mêlent ensemble, à l'exemple des autres,
et avec cette pleine réjouissance de tous les Bergers et Bergères   270
finira le divertissement de la comédie, d'où l'on passera aux autres
merveilles dont vous aurez la relation.

---

1. Le Gros (*Note de l'édition originale*).

Jardins de Versailles, bassin du Dragon
Peinture de Cotelle (1645-1708)

« Les Festes de l'Amour et de Bacchus » sur la scène du théâtre de verdure.

II

RELATION DE LA FÊTE DE VERSAILLES

DU 18e JUILLET 1668

Le Roi ayant accordé la paix aux instances de ses alliés et aux vœux de toute l'Europe, et donné des marques d'une modération et d'une bonté sans exemple, même dans le plus fort de ses conquêtes, ne pensoit plus qu'à s'appliquer aux affaires de son royaume, lorsque, pour réparer en quelque sorte ce que la cour avoit perdu dans le carnaval pendant son absence, il résolut de faire une fête dans les jardins de Versailles, où, parmi les plaisirs que l'on trouve dans un séjour si délicieux, l'esprit fût encore touché de ces beautés surprenantes et extraordinaires dont ce grand prince sait si bien assaisonner tous ses divertissements.

Pour cet effet, voulant donner la comédie ensuite d'une collation, et le souper après la comédie, qui fût suivi d'un bal et d'un feu d'artifice, il jeta les yeux sur les personnes qu'il jugea les plus capables pour disposer toutes les choses propres à cela. Il leur marqua lui-même les endroits où la disposition du lieu pouvoit par sa beauté naturelle contribuer davantage à leur décoration; et parce que l'un des plus beaux ornements de cette maison est la quantité des eaux que l'art y a conduites, malgré la nature qui les lui avoit refusées, Sa Majesté leur ordonna de s'en servir, le plus qu'ils pourroient, à l'embellissement de ces lieux, et même leur ouvrit les moyens de les employer et d'en tirer les effets qu'elles peuvent faire.

Pour l'exécution de cette fête, le duc de Créquy, comme premier gentilhomme de la chambre, fut chargé de ce qui regardoit la comédie; le maréchal de Bellefond, comme premier maître d'hôtel du Roi, prit le soin de la collation, du souper et de tout ce qui regardoit le service des tables; et M. Colbert, comme surintendant des bâtiments, fit construire et embellir les divers lieux destinés à ce divertissement royal, et donna les ordres pour l'exécution des feux d'artifice.

Le sieur Vigarani eut ordre de dresser le théâtre pour la comédie;
le sieur Gissey d'accommoder un endroit pour le souper; et le
sieur Le Vau, premier architecte du Roi, un autre pour le bal.

Le mercredi 18e de juillet, le Roi, étant parti de Saint-Germain,
vint dîner à Versailles avec la Reine, Monseigneur le Dauphin, 35
Monsieur et Madame; le reste de la cour, étant arrivé incontinent après midi, trouva des officiers du Roi qui faisoient les
honneurs et recevoient tout le monde dans les salles du château,
où il y avoit, en plusieurs endroits, des tables dressées, et de
quoi se rafraîchir; les principales dames furent conduites dans des 40
chambres particulières, pour se reposer.

Sur les six heures du soir, le Roi ayant commandé au marquis
de Gêvres, capitaine de ses gardes, de faire ouvrir toutes les portes,
afin qu'il n'y eût personne qui ne prît part au divertissement,
sortit du château avec la Reine et tout le reste de la cour, pour 45
prendre le plaisir de la promenade.

Quand Leurs Majestés eurent fait le tour du grand parterre,
elles descendirent dans celui de gazon qui est du côté de la Grotte,
où après avoir considéré les fontaines qui les embellissent, elles
s'arrêtèrent particulièrement à regarder celle qui est au bas du petit 50
parc du côté de la pompe. Dans le milieu de son bassin l'on voit
un dragon de bronze, qui, percé d'une flèche, semble vomir le sang
par la gueule, en poussant en l'air un bouillon d'eau qui retombe
en pluie, et couvre tout le bassin.

Autour de ce dragon il y a quatre petits Amours sur des cygnes, 55
qui font chacun un grand jet d'eau et qui nagent vers le bord
comme pour se sauver : deux de ces Amours, qui sont en face du
dragon, se cachent le visage avec la main pour ne pas le voir, et
sur leur visage l'on aperçoit toutes les marques de la crainte parfaitement exprimées. Les deux autres, plus hardis parce que le 60
monstre n'est pas tourné de leur côté, l'attaquent de leurs armes.
Entre ces Amours sont des dauphins de bronze, dont la gueule
ouverte pousse en l'air de gros bouillons d'eau.

Leurs Majestés allèrent ensuite chercher le frais dans ces bos-
quets si délicieux, où l'épaisseur des arbres empêche que le soleil 65
ne se fasse sentir. Lorsqu'elles furent dans celui dont un grand
nombre d'agréables allées forme une espèce de labyrinthe, elles
arrivèrent, après plusieurs détours, dans un cabinet de verdure
pentagone, où aboutissent cinq allées. Au milieu de ce cabinet il
y a une fontaine, dont le bassin est bordé de gazon. De ce bassin 70
sortoient cinq tables en manière de buffets, chargées de toutes les
choses qui peuvent composer une collation magnifique.

L'une de ces tables représentoit une montagne, où dans plusieurs espèces de cavernes on voyoit diverses sortes de viandes froides; l'autre étoit comme la face d'un palais bâti de massepains et pâtes sucrées. Il y en avoit une chargée de pyramides de confitures sèches; une autre d'une infinité de vases remplis de toutes sortes de liqueurs; et la dernière étoit composée de caramels. Toutes ces tables, dont les plans étoient ingénieusement formés en divers compartiments, étoient couvertes d'une infinité de choses délicates, et disposées d'une manière toute nouvelle; leurs pieds et leurs dossiers étoient environnés de feuillages mêlés de festons de fleurs, dont une partie étoit soutenue par des Bacchantes. Il y avoit entre ces tables une petite pelouse de mousse verte qui s'avançoit dans le bassin, et sur laquelle on voyoit dans un grand vase un oranger dont les fruits étoient confits : chacun de ces orangers avoit à côté de lui deux autres arbres de différentes espèces, dont les fruits étoient pareillement confits.

Du milieu de ces tables s'élevoit un jet d'eau, de plus de trente pieds de haut, dont la chute faisoit un bruit très-agréable : de sorte qu'en voyant tous ces buffets d'une même hauteur, joints les uns aux autres par les branches d'arbres et les fleurs dont ils étoient revêtus, il sembloit que ce fût une petite montagne du haut de laquelle sortît une fontaine.

La palissade qui fait l'enceinte de ce cabinet étoit disposée d'une manière toute particulière : le jardinier ayant employé son industrie à bien ployer les branches des arbres et à les lier ensemble en diverses façons, en avoit formé une espèce d'architecture. Dans le milieu du couronnement on voyoit un socle de verdure, sur lequel il y avoit un dé qui portoit un vase rempli de fleurs. Au côté du dé et sur le même socle étoient deux autres vases de fleurs; et en cet endroit le haut de la palissade, venant doucement à s'arrondir en forme de galbe, se terminoit aux deux extrémités par deux autres vases aussi remplis de fleurs.

Au lieu de sièges de gazon, il y avoit tout autour du cabinet des couches de melons, dont la quantité, la grosseur et la bonté étoit surprenante pour la saison. Ces couches étoient faites d'une manière toute extraordinaire, et à bien considérer la beauté de ce lieu, l'on auroit pu dire autrefois que les hommes n'auroient point eu de part à un si bel arrangement, mais que quelques divinités de ces bois auroient employé leurs soins pour l'embellir de la sorte.

Comme il y a cinq allées qui se terminent toutes dans ce cabinet et qui forment une étoile, l'on trouvoit ces allées ornées de chacun côté de vingt-six arcades de cyprès. Sous chaque arcade et sur

des sièges de gazon il y avoit de grands vases remplis de divers [115]
arbres chargés de leurs fruits.

[. . . . .]

A l'entrée de ce jardin, l'on découvroit deux palissades si ingénieusement moulées, qu'elles formoient un ordre d'architecture,
dont la corniche étoit soutenue par quatre Termes, qui représen-
toient des Satyres. La partie d'en bas de ces Termes, et ce qu'on [120]
appelle gaîne, étoit de jaspe, et le reste de bronze doré. Ces
Satyres portoient sur leurs têtes des corbeilles pleines de fleurs; et
sur les piédestaux de marbre qui soutenoient ces mêmes Termes,
il y avoit de grands vases dorés, aussi remplis de fleurs.

Un peu plus loin paroissoient deux terrasses, revêtues de marbre [125]
blanc, qui environnoient un long canal. Aux bords de ces terrasses
il y avoit des masques dorés, qui vomissoient de l'eau dans le
canal, et au-dessus de ces masques on voyoit des vases de bronze
doré, d'où sortoient aussi autant de véritables jets d'eau.

On montoit sur ces terrasses par trois degrés; et sur la même [130]
ligne où étoient rangés les Termes, il y avoit, d'un côté et d'autre,
une allée de grands arbres, entre lesquels paroissoient des cabinets
d'une architecture rustique : chaque cabinet couvroit un grand
bassin de marbre, soutenu sur un piédestal de même manière, et
de ces bassins sortoient autant de jets d'eau. [135]

Le bout du canal le plus proche étoit bordé de douze jets d'eau,
qui formoient autant de chandeliers, et à l'autre extrémité on
voyoit un superbe édifice en forme de dôme. Il étoit percé de trois
grands portiques, au travers desquels on découvroit une grande
étendue de pays. [140]

D'abord l'on vit sur le théâtre une collation magnifique d'oranges
de Portugal et de toutes sortes de fruits, chargés à fond et en
pyramides dans trente-six corbeilles, qui furent servies à toute la
cour par le maréchal de Bellefond, et par plusieurs seigneurs,
pendant que le sieur de Launay, intendant des menus plaisirs et [145]
affaires de la chambre, donnoit de tous côtés des imprimés qui
contenoient le sujet de la comédie et du ballet.

Bien que la pièce qu'on représenta doive être considérée comme
un impromptu et un de ces ouvrages où la nécessité de satisfaire
sur-le-champ aux volontés du Roi ne donne pas toujours le loisir [150]
d'y apporter la dernière main et d'en former les derniers traits,
néanmoins il est certain qu'elle est composée de parties si diversi-
fiées et si agréables, qu'on peut dire qu'il n'en a guère paru sur le
théâtre de plus capable de satisfaire tout ensemble l'oreille et les

yeux des spectateurs. La prose, dont on s'est servi, est un langage 155
très-propre pour l'action qu'on représente; et les vers qui se
chantent entre les actes de la comédie conviennent si bien au sujet
et expriment si tendrement les passions dont ceux qui les récitent
doivent être émus, qu'il n'y a jamais rien eu de plus touchant.
Quoiqu'il semble que ce soit deux comédies que l'on joue en même 160
temps, dont l'une soit en prose et l'autre en vers, elles sont pourtant si bien unies à un même sujet, qu'elles ne font qu'une même
pièce et ne représentent qu'une seule action.

L'ouverture du théâtre se fait par quatre Bergers, déguisés en
valets de fêtes, qui, accompagnés de quatre autres Bergers qui 165
jouent de la flûte, font une danse, où ils obligent d'entrer avec eux
un riche Paysan qu'ils rencontrent, et qui, mal satisfait de son
mariage, n'a l'esprit rempli que de fâcheuses pensées : aussi l'on
voit qu'il se retire bientôt de leur compagnie, où il n'a demeuré
que par contrainte. 170

Climène et Cloris, qui sont deux Bergères amies, entendant le
son des flûtes, viennent joindre leurs voix à ces instruments, et
chantent :

L'autre jour, d'Annette, etc.

Tircis et Philène, amants de ces deux Bergères, les abordent
pour les entretenir de leur passion, et font avec elles une scène en 175
musique.

CLORIS

Laissez-nous en repos, Philène, etc.

Ces deux Bergers se retirent, l'âme pleine de douleur et de
désespoir, et ensuite de cette musique commence le premier acte de
la comédie en prose.

Le sujet est qu'un riche Paysan s'étant marié à la fille d'un 180
gentilhomme de campagne, ne reçoit que du mépris de sa femme
aussi bien que de son beau-père et de sa belle-mère, qui ne l'avoient
pris pour leur gendre qu'à cause de ses grands biens.

Toute cette pièce est traitée de la même sorte que le sieur de
Molière a de coutume de faire ses autres pièces de théâtre : c'est- 185
à-dire qu'il y représente avec des couleurs si naturelles le caractère des personnes qu'il introduit, qu'il ne se peut rien voir de plus
ressemblant que ce qu'il a fait pour montrer la peine et les chagrins
où se trouvent souvent ceux qui s'allient au-dessus de leur condition. Et quand il dépeint l'humeur et la manière de faire de 190
certains nobles campagnards, il ne forme point de traits qui n'ex-

priment parfaitement leur véritable image. Sur la fin de l'acte, le Paysan est interrompu par une Bergère qui lui vient apprendre le désespoir des deux Bergers; mais comme il est agité d'autres inquiétudes, il la quitte en colère, et Cloris entre, qui vient faire une plainte sur la mort de son amant : [195]

> *Ah! mortelles douleurs!* etc.

Après cette plainte, commença le second acte de la comédie en prose. C'est une suite des déplaisirs du Paysan marié, qui se trouve encore interrompu par la même Bergère, qui vient lui dire que Tircis et Philène ne sont point morts, et lui montre six Bateliers [200] qui les ont sauvés. Le Paysan importuné de tous ces avis se retire, et quitte la place aux Bateliers, qui, ravis de la récompense qu'ils ont reçue, dansent avec leurs crocs, et se jouent ensemble : après quoi se récite le troisième acte de la comédie en prose.

Dans ce dernier acte l'on voit le Paysan dans le comble de la [205] douleur par les mauvais traitements de sa femme. Enfin un de ses amis lui conseille de noyer dans le vin toutes ses inquiétudes, et l'emmène pour joindre sa troupe, voyant venir toute la foule des Bergers amoureux, qui commence à célébrer par des chants et des danses le pouvoir de l'Amour. [210]

Ici la décoration du théâtre se trouve changée en un instant, et l'on ne peut comprendre comment tant de véritables jets d'eau ne paroissent plus, ni par quel artifice, au lieu de ces cabinets et de ces allées, on ne découvre sur le théâtre que de grandes roches entremêlées d'arbres, où l'on voit plusieurs Bergers qui chantent [215] et qui jouent de toutes sortes d'instruments. Cloris commence la première à joindre sa voix au son des flûtes et des musettes.

CLORIS

> *Ici l'ombre des ormeaux*, etc.

Pendant que la musique charme les oreilles, les yeux sont agréablement occupés à voir danser plusieurs Bergers et Bergères galamment vêtus; et Climène chante : [220]

> *Ah! qu'il est doux, belle Sylvie*, etc.

. . . .

TOUS ensemble.

Chantons tous de l'Amour le pouvoir adorable,

. . . .

> *Il est le plus aimable*
> *Et le plus grand des Dieux.*

A ces mots, l'on vit s'approcher du fond du théâtre un grand rocher, couvert d'arbres, sur lequel étoit assise toute la troupe de Bacchus, composée de quarante Satyres; l'un d'eux, s'avançant à la tête, chanta fièrement ces paroles :

Arrêtez, c'est trop entreprendre, etc.

CHŒUR DE BACCHUS

Nous suivons de Bacchus le pouvoir adorable, etc.

Plusieurs du parti de Bacchus mêloient aussi leurs pas à la [225] musique, et l'on vit un combat des danseurs et des chantres de Bacchus, contre les danseurs et les chantres qui soutenoient le parti de l'Amour.

CLORIS

C'est le printemps qui rend l'âme, etc.

UN SUIVANT DE BACCHUS

Le soleil chasse les ombres, etc.

. . . .

LES DEUX PARTIS

Le plus grand dieu de tous...

LE PARTI DE L'AMOUR

C'est l'Amour.

LE PARTI DE BACCHUS

C'est Bacchus.

Un Berger arrive, qui se jette au milieu des deux partis pour les séparer, et leur chante ces vers : [230]

C'est trop, c'est trop, Bergers. Hé pourquoi ces débats? etc.

. . . .

LES DEUX CHŒURS ensemble.

Mêlons donc leurs douceurs aimables, etc.

Tous les danseurs se mêlent ensemble, et l'on voit parmi les Bergers et les Bergères quatre des suivants de Bacchus, avec des thyrses, et quatre Bacchantes, avec des espèces de tambours de basque, qui représentent ces cribles qu'elles portoient ancienne- ment aux fêtes de Bacchus. De ces thyrses, les suivants frappent [235] sur les cribles des Bacchantes, et font différentes postures, pendant que les Bergers et les Bergères dansent plus sérieusement.

On peut dire que dans cet ouvrage le sieur de Lully a trouvé le secret de satisfaire et de charmer tout le monde; car jamais il n'y a rien eu de si beau ni de mieux inventé. Si l'on regarde les danses, [240] il n'y a point de pas qui ne marque l'action que les danseurs doivent faire, et dont les gestes ne soient autant de paroles qui se fassent entendre. Si l'on regarde la musique, il n'y a rien qui n'exprime parfaitement toutes les passions et qui ne ravisse l'esprit des auditeurs. Mais ce qui n'a jamais été vu, est cette harmonie de [245] voix si agréable, cette symphonie d'instruments, cette belle union de différents chœurs, ces douces chansonnettes, ces dialogues si tendres et si amoureux, ces échos, et enfin cette conduite admirable dans toutes les parties, où, depuis les premiers récits, l'on a vu toujours que la musique s'est augmentée, et qu'enfin, après [250] avoir commencé par une seule voix, elle a fini par un concert de plus de cent personnes, que l'on a vues, toutes à la fois sur un même théâtre, joindre ensemble leurs instruments, leurs voix et leurs pas, dans un accord et une cadence qui finit la pièce, en laissant tout le monde dans une admiration qu'on ne peut assez [255] exprimer.

« Festin donné dans le petit Parc de Versailles »

Gravure de Le Pautre, tirée de la *Relation de la Fête de Versailles*

III

L'YSTOIRE DES SEPT SAGES [1]

En une cité avoit ung chevalier qu'avoit espousé une jeune damoiselle comme vous avés fait, laquelle il amoit merveilleusement et tellement que toutes les nuys de ses mains yl fermoit les portes et les clefz mestoit soubz sa teste au lyt. En celle cité estoit de coustume qu'après que une clouche estoit sonnée de nuyt et quelcun se trouvoit par les charriéres, estoit pris par les gardes et encarcerez toute cele nuyt, et le jour publiquement se mectoit au pylory en signe de reprouche et de vituperacion.

Advint que pour acomplir la concupiscence de la cher cestuy homme ne souffisoit pas a ceste jeune dame a cause que le chevalier estoit ancien et cassé et la dame en la fleur de son eage, pourquoy la dame avoit ung ami pour amour. Et toutes les nuys quant le chevalier dormissoit elle prenoit les clefz et aloit vers son amy et puis tout bellement retornoit près de son mary. Et après que pluseurs foys elle fit en ceste maniére, advint une nuyt que le chevalier se reveillia et ne trouva point près de luy sa femme, puis sercha les clef soubz sa teste et ne les trouva point. Incontinant se leva et trouva la porte toute ouverte et puis la ferma seurement. Cecy estre fait, le chevalier monta en hault et regarda par la fenestre sur la place longuement. Et après que le pollet heut chanté trois foys la dame vint de la ou estoit son amoureux, et ainsy qu'elle pensoit entrer en la maison elle fut fort triste de ce qu'elle la trouva sarrée, et en hurlant la cuydoit ouvrir, a laquelle dit le chevalier :

« O faulce putain desloyale, j'ay bien esperimenté maintenant comme souventeffoys tu as laissé mon lyt pour commectre pechié et adultére; je te jure et soie certayne que tu demourras en tel point jusques les gardes de la cité viengnent qui te prendront. »

La dame dit :

« O mon seigneur et mon doulx espoux, vous faites mal de

---

1. *L'Ystoire des sept sages*, publiée par Gaston Paris, Didot 1886, p. 82-87. Nous respectons la fantaisie orthographique.

me mectre sur crime duquel je suis innocente; sur mon ame
je vous diray la verité : ceste nuyt quand vous fustes endormy
j'ai esté demandée de la servente de ma mére pour aler a elle
hactivement, et quand je vous senty ainsy dulcement dormir,
je ne ousaye vous reveillier ne prendre congié de vous, et ainsy ³⁵
je pris les clefz et alay a ma mére, laquelle est sy treffort malade
que je doubte que demain ne la faille oindre et donner ses sacre-
ments. Touteffoy pour non vous offendre je me suis hastée de
retorner et l'ay laissé en tresgrant maladie, Dieu le scet. Pour
quoy je vous prie, laissez moy entrer en la mayson avant que la ⁴⁰
clouche sonne. »

— Certes, respont le chevalier, tu n'entreras point, mais seras
la jusques la clouche sonne et que tu seras prise.

— En verité, dit la dame, et a vous et a moy et a tous nous
parens et amis ce sera un tresgrant deshonnour et reprouche ⁴⁵
sy se fait comme vous dites; pour quoy en l'onnour de Dieu
ouvrés moy la porte et que je entre dedens.

— Advise maintenant, dit le chevalier, et te recorde combien
de foys tu as laissé mon lyt pour aler commectre adultére;
mieux te vault, dit-il, soustenir reprouche et effacer tes pechiez en ⁵⁰
cestuy monde qu'estre dampnée en enfert.

— O mon seigneur, dit la dame, en l'onnour de celluy qui pour
nous pendit en croix, ayés mercy de moy. »

Le chevalier respont :

« Tu labeures en vain, car tu n'entreras point, mais actendras ⁵⁵
que la campane sonne et que tu soie trouvée et prise. »

Alors ceste dame mal contente dit a son mary :

« Tu scez bien que cy près de la porte a un puys, mais se tu ne
me laissez entrer je me laisseray tomber dedens et seray morte,
et je le feray avant que je soie scandalizée en ceste manière ⁶⁰
devant mes amis.

— Pleut a Dieu, dit le chevalier, que tu ne fuz morte de long
temps et avant que jamais tu entrasses en mon lyt. »

Et ainsy en parlant la lumiére de la lune s'en ala. Et alors la
femme dit : ⁶⁵

« O mon seigneur, puis qu'ainsy est, je me veulx noyer et me
gecter en l'aigue du puis; mais par avant je veulx faire mon testa-
ment, et dis premiérement que je donne et remectz a Dieu, a la
vierge Marie, et a tous les saintz de paradis mon ame. Item je
ordonne que mon corps soit ensevelly en l'esglise de saint Piére. ⁷⁰
Les aultres choses appartenans soient remises en vostre disposi-
cion et volenté. »

109

Cecy estre dit, elle vint au puys et prist une grosse pierre qu'elle trouva, tant pesant comme elle peut sortir de terre, et la leva et la gecta au puys en disant : « Maintenant je me voy noyer. » [75] Et puis sans plus dire aultre chose elle se mussa près de la porte. Le chevalier ouyt le son et grand cop qui se donna au puys, et puis en plourant cria a haulte voix et dit : « O moy dolant ! ma femme est noyée et tombée. » Et puis incontinant descend de la maison et court vers le puys. La dame qu'estoit près de la porte [80] entra en la maison et puis ferma et serra la porte fort et seurement et puis monta sur les degrez et se mist a la fenestre. Entretant le chevalier se tient près du puys et pleuroit amérement en disant : « O moy doulant ! maintenant je suis vesvé et privé de ma femme que j'amoye tant ; mauldite soit l'eure que je serray la porte [85] contre elle ! »

Ceste dame avoit grant joye de la melencolie de son mary, et en riant dit en ceste manière :

« O mauldit velliart, pour quoy a ceste heure demeure tu hors de ta mayson ? ne suis je pas assez souffisante pour toy ? Que [90] veult dire que toutes les nuys tu vas a tes rybauldes et laisses mon lyt et ma compagnie ? »

Quant le chevalier ouyt la voix de sa femme il fut tresjoyeux et dit :

« Dieu soit loué et begnyt que tu n'ez point morte ! mais, [95] ma dame et bonne femme, pour quoy me faitz tu ces reprouches ? car je t'ay voulu chastoyer, et pour celle cause j'avoye fermée la porte, sans cogiter ne entendre que tu te deusses mectre en peril, mais quant j'ay ouy le son du puys je me suis pensé que tu t'estoye gectée dedens, pour quoy incontinant [100] je suis descendus pour toy aider et saulver. »

A cecy la dame respont et dit :

« Tu en as menty ; je ne fis jamais telles choses que tu m'as mis sur moy, mais bien se monstre maintenant ce que dit le commun proverbe : celluy qui est macherez et culpable de quelque [105] crime tousjours se perforce de maculer et accuser les aultres. Et pour ce que tu m'as mis sur ceste diffamacion de quoy tu es diffamé et du cas de quoy souvent tu as usé. Veritablement je te dis que tu actendras la hors jusques la campane sonne ou jusques tant que les gardes te treuvent et qu'i te facent selon [110] que ton cas requiert. »

Le chevalier dit :

« Helas ! mais pour quoy me mès tu sur telle diffamacion ? Car je suis vieulx et ancien et ay demoré tout le temps de ma vie en ceste cité, et jamais de tel cas je ne fus repris ne accusé, et [115] pourtant ouvre moy affin que tu ne faces ne moy ne toy esclandre. »

Ceste dame n'en avoit cure, mais luy dit :

« Tu parles pour neant; mieux te vault en cestuy monde faire penitence de tes pechiez qu'estre dampné en enfer; souviengne toy du dit du sage duquel se lyt ainsy : Dieu ha en hayne et n'ayme [120] point ung povre orgueillieux et ung riche messongier et ung velliard fol et assotty. Tu es riche et messongier; pour quoy m'as tu imposé sur mensonges? Tu es bien fol et associé quant tu as heu la fleur de mon jouvent a ton plaisir et encores tu te mès a courre après tes rybauldes, pour quoy c'est grant don de Dieu [125] que tu soyes icy ainsy pugny, affin que tu ne soyez dampné en enfer. Et par ainsy fais de bon vouloir de tes pechiez penitence.

— O ma dame, dit le chevalier, je sçay que Dieu est misericors et ne requier du pecheur se non contriction et emende, pour quoy laisse moy entrer et volontairement je me veulx emender. [130]

— Quel dyable, respond elle, t'a fait sy bon prescheur? Touteffois je te dis que tu n'entreras point. »

Et ainsy que disoient ces paroles, on sonna la clouche, don le chevalier dit :

« O ma dame, maintenant se sonne la campane : laisse moy [135] entrer en la maison affin que je ne soies ainsy confus et diffamé a tousjours mais.

— Cestuy son de ceste clouche, dit elle, pretent le salut de ton ame, affin que par bonne patience tu endures penitence. »

Cecy disant, les gardes environnoient la cité et trouvarent le [140] chevalier devant sa maison actendant qu'i peut entrer et luy dirent :

« Biaulx amis, ce n'est pas bon signe que tu soie maintenant ycy et a ceste heure. »

Sy tost que la dame ouyt les gardes va dire a haulte voix : [145]

« O mes amis, je vous prie que je soie vengée de cestuy velliard mauldit. Vous sçavez de qui je suis fille et mon estat; vous devés sçavoir que toutes les nuyts cestuy mauldit rybault laisse mon lyt et va a ses ribauldes; j'atendoie tousjour qu'il se emendast, tellement que je ne le vouloie reveler a nul de mes amis, mais [150] il ne m'a rien valu, pour quoy je demande qu'i soit pugny comme celluy qu'est incorrigible. »

Alors les gardes selon les estatuz de la cité le prirent et le menarent en prison ou il fut discipliné, et puis quant yl fut jour pour plus grant vitupére on le mist au pyloril. [155]

IV

DÉCAMÉRON

VIIᵉ Journée

Dans le *Décaméron* de Boccace [1], l'intrigue du quatrième conte est la plus proche de *George Dandin* (voir notre introduction p. 22), mais le retournement de situation du huitième conte et le cynisme de l'épouse prenant sa famille à témoin de la prétendue mauvaise conduite du mari permettent également le rapprochement avec la pièce de Molière. Nous les publions donc tous les deux ici.

4. Le Jaloux dupé

Madame Élise n'eut pas plus tôt achevé son récit, que le roi commanda à madame Laurette de commencer le sien. « O amour ! que ta puissance est grande ! s'écria-t-elle aussitôt ; que tu sais entreprendre de grandes choses ! que tu sais bien tout prévenir ! Quel est le philosophe, quel est le maître qui pourrait enseigner ces subterfuges, ces prévoyances, cette présence d'esprit que tu inspires dans le moment à ceux et à celles qui vivent sous tes lois ? Certainement il n'est point de science qui ne s'acquière lentement comparée à la tienne. Les nouvelles qu'on a racontées jusqu'à présent en sont autant de preuves. A ces divers témoignages, mes aimables dames, j'en ajouterai un nouveau, en vous rapportant le stratagème d'une femme d'un esprit très ordinaire, stratagème qu'à mon avis nul autre que l'amour n'aurait pu suggérer. »

Il y avait autrefois dans la ville d'Arezzo un homme riche, nommé Tofano, marié depuis peu à une jeune et belle demoiselle, nommée Gitta, dont il devint aussitôt extrêmement jaloux, on ne sait trop pourquoi. La femme, qui ne tarda pas à s'en apercevoir, en eut beaucoup de déplaisir et se crut offensée. Elle lui demanda plusieurs fois le sujet de sa jalousie ; mais elle n'en

5

10

15

20

1. Traduit de l'Italien par Sabatier de Castrès, Paris, Béchet, 1849.

tira jamais que ces raisons vagues que les hommes ont coutume d'alléguer en pareil cas. Fatiguée de se voir continuellement la victime d'une maladie d'esprit à laquelle sa conduite avait aucunement donné lieu, elle résolut de punir son mari, en lui faisant subir le sort qu'il redoutait sans en avoir le moindre sujet. 25

Dans ce dessein, elle jeta les yeux sur un jeune homme fort aimable, qui avait pour elle de l'inclination, et qu'elle avait dédaigné jusqu'alors. Elle lui fit savoir secrètement ses dispositions. Elle mit en peu de temps les choses en tel état, qu'il ne leur manquait plus qu'une occasion favorable pour être parfaitement 30 heureux. Entre les défauts de son mari, la belle avait remarqué qu'il aimait fort à boire : non seulement elle lui laissa suivre son penchant à cet égard, mais elle le favorisa de son mieux pour tourner au profit de l'amour les moments de liberté qu'elle aurait pendant son ivresse. Le jaloux s'accoutuma si fort au vin, qu'elle 35 l'enivrait quand elle voulait; et, quand il était ivre, elle le faisait coucher. C'est par ce moyen qu'elle vint à bout de voir son amant et de passer avec lui les moments les plus agréables.

Le succès de ce manège lui inspira une telle confiance, que non seulement elle le faisait venir chez elle, mais qu'elle allait 40 quelquefois le trouver dans sa propre maison, qui n'était guère éloignée de la sienne, et où elle passait la plus grande partie de la nuit.

Cependant le mari, s'étant aperçu que lorsqu'elle le faisait boire elle ne buvait jamais, commença à avoir des soupçons et 45 se douta de ce qui se passait. Pour s'en convaincre, il passa une grande partie du jour hors de chez lui sans boire, et se rendit le soir dans sa maison, chancelant et tombant, comme s'il eût été véritablement ivre. Il continua de jouer si bien son personnage, que sa femme, donnant dans le panneau, crut qu'il n'était pas 50 nécessaire de le faire boire davantage, et le fit coucher incontinent. Il ne fut pas plus tôt au lit, et avait à peine fait semblant de s'endormir, que la femme sortit de la maison et courut chez son amant, où elle demeura jusqu'à minuit.

Tofano, ayant entendu ouvrir la porte, se leva dans l'intention 55 de surprendre sa femme avec quelque galant. Étonné de voir qu'elle était sortie, et ne doutant pas qu'elle n'eût été le faire cocu, il ferme la porte au verrou et va se poster à la fenêtre, pour la voir revenir et lui faire connaître qu'il savait à quoi s'en tenir sur sa conduite. Il eut la patience d'y demeurer jusqu'à son 60 retour, quoiqu'on fût alors au commencement de l'hiver. La belle, désolée de trouver la porte fermée, ne savait que devenir.

Elle fit de vains efforts pour l'ouvrir de force. Son mari, après l'avoir laissée faire pendant quelques moments : « C'est temps perdu, ma femme, lui dit-il, tu ne saurais entrer. Tu feras beau- ⁶⁵ coup mieux de retourner à l'endroit d'où tu viens. Tu peux être assurée de ne remettre les pieds dans la maison que je ne t'aie fait la honte que tu mérites en présence de tous tes parents et de tous nos voisins. »

Le dame eut beau prier, solliciter, pour qu'on lui ouvrît ; ⁷⁰ elle eut beau protester qu'elle venait de passer la soirée chez une de ses voisines, parce que, les nuits étant longues, elle s'ennuyait d'être seule, ses prières et ses protestations furent inutiles. Son original de mari avait absolument décidé, dans son esprit étroit, de dévoiler aux yeux de tout le monde la conduite irrégulière ⁷⁵ de sa femme et son propre déshonneur. La belle, voyant que les supplications ne servaient de rien, eut recours aux menaces. « Si tu persistes à ne pas m'ouvrir, lui dit-elle, je t'assure que je t'en ferai repentir et que je me vengerai de ton opiniâtreté de la manière la plus cruelle. ⁸⁰

— Et que peux-tu me faire ? reprit le mari.

— Te perdre, reprit la femme, à qui l'amour venait d'inspirer une ruse infaillible pour le déterminer à ouvrir... Oui, te perdre ; car, plutôt que de souffrir la honte que tu veux me faire subir injustement, je me jetterai dans le puits qui est ici tout près ; ⁸⁵ et comme tu passes avec justice pour un brutal et un ivrogne, on ne manquera pas de dire que c'est toi qui m'y as jetée dans un moment d'ivresse. Alors, ou tu seras obligé de t'expatrier et d'abandonner tes biens, ou tu t'exposeras à avoir la tête tranchée, comme homicide de ta femme dont effectivement tu auras à te ⁹⁰ reprocher la mort. »

Cette menace ne fit pas plus d'effet sur l'âme de Tofano que les prières d'auparavant. Sa femme le voyant inébranlable : « C'en est donc fait de moi, lui dit-elle ; Dieu veuille avoir pitié de mon âme et de la tienne. Je laisse ici ma quenouille dont ⁹⁵ tu feras l'usage qu'il te plaira. Adieu, mon mari, adieu. »

La nuit était des plus obscures ; à peine eût-on pu distinguer les objets dans la rue. La femme va droit au puits, prend une grosse pierre et l'y jette de toute sa force, après s'être écriée : « Mon Dieu, ayez pitié de moi ! » La pierre fit un si grand bruit à ¹⁰⁰ l'approche de l'eau, que Tofano ne douta point que Gitta ne se fût réellement jetée dans le puits. La peur le saisit, il court chercher le seau avec la corde, sort précipitamment de la maison, et va droit au puits pour tâcher de l'en retirer ; mais la belle, qui s'était cachée près de la porte, ne voit pas plus tôt son mari [105] dehors, qu'elle entre, referme la porte au verrou et va se tapir à la fenêtre, d'où elle crie d'un ton à persuader qu'elle était de mauvaise humeur : « C'est lorsqu'on boit le vin qu'il faut y mettre de l'eau, et non quand on l'a bu ! »

Qu'on juge de la surprise de Tofano. Il revint vite sur ses pas, [110] et, trouvant la porte fermée, il pria sa femme de lui ouvrir. Elle n'en voulut rien faire, et le laissa longtemps se morfondre comme il l'avait fait à son égard. Le mari insistant et menaçant d'enfoncer la porte, la belle se mit à crier à pleine tête : « Maudit ivrogne, méchant garnement, je t'apprendrai à vivre. Tu ne rentreras [115] pas de ce soir : je suis lasse de ta mauvaise conduite. Je veux enfin te dénoncer à tout le quartier, et lui faire voir l'heure à laquelle tu reviens chez toi ; nous verrons qui de nous deux sera blâmé. »

Tofano, furieux du tour qu'elle lui avait joué, ne ménagea pas les injures. Il lui en dit de toutes les façons et cria si fort que [120] les voisins, éveillés par le bruit, se mirent aux fenêtres pour voir ce que c'était. La femme ne les eut pas plus tôt entendus demander le sujet de ce tapage, qu'elle leur répondit d'un ton larmoyant : « C'est ce vilain homme, ce misérable qui s'enivre tous les jours, et qui, après s'être endormi dans les cabarets, revient presque [125] tous les soirs à cette heure-ci. J'ai longtemps patienté, et me suis contentée de lui représenter ses torts ; mais puisque mes remontrances n'ont servi de rien et qu'il a lassé ma patience, j'ai voulu aujourd'hui le laisser dehors pour voir si cette correction serait plus efficace. » [130]

Tofano, pour se justifier, conta bêtement tout ce qui s'était passé, et menaçait sa femme de la maltraiter, si elle le laissait plus longtemps à la porte. « Quelle effronterie ! s'écria-t-elle en s'adressant aux voisins, que dirait-il donc si j'étais dans la rue et qu'il fût dans la maison ? je vous laisse à juger de son bon sens [135] et de sa bonne foi. Il m'attribue précisément ce qu'il a fait lui-même ; c'est lui qui a jeté la pierre dans le puits, croyant sans doute me faire peur ; mais je n'ai pas été dupe de sa supercherie, et vous ne le serez point de son mensonge atroce. Plût à Dieu qu'il se fût jeté dans le puits tout de bon pour y tremper son vin, [140] je ne serais plus exposée à sa brutalité. Ce misérable me fait souffrir le martyre depuis que j'ai eu le malheur de l'épouser. »

Les voisins, tant hommes que femmes, jugeant par les apparences, blâmèrent Tofano et se mirent à lui chanter pouilles de ce qu'il parlait si mal de sa femme. Le bruit fut si grand et courut [145] si vite de maison en maison qu'il parvint jusqu'aux parents de

la belle. Ils se transportèrent aussitôt sur les lieux pour mettre
fin à cette querelle. Informés par les voisins de la vérité du fait,
ils se jetèrent sur le pauvre cornard et lui donnèrent tant de coups
qu'ils faillirent à l'assommer. Après cette belle expédition, ils 150
entrent dans la maison, disent à sa femme de ramasser tout ce qui
lui appartient, et après qu'elle leur a remis ses nippes, ils l'emme-
nèrent avec eux, faisant entendre à Tofano qu'il n'en serait
peut-être pas quitte pour les coups qu'il avait reçus. Ce pauvre
diable en fut malade, et comprit, mais trop tard, que la jalousie 155
l'avait mené trop loin. Comme il aimait beaucoup sa femme,
il fit son possible pour se raccommoder avec elle. Il employa ses
amis qui la lui ramenèrent sur la promesse qu'il leur avait faite
de n'être plus jaloux et d'avoir pour elle toute sorte d'égards.
Il porta la complaisance si loin, après qu'il eut fait sa paix avec 160
elle, qu'il lui permit de vivre comme elle voudrait, pourvu qu'elle
s'y prît de manière à ne l'en pas faire apercevoir. C'est ainsi que
ce mari devint sage à ses dépens. Vive l'amour pour corriger les
hommes, et meure à jamais l'affreuse jalousie qui les fait choir dans
tant de travers !
165

8. La Rouerie de dame Simone

La compagnie trouva que madame Béatrix avait poussé trop
loin la plaisanterie à l'égard de son mari. On trouva également
que Hannequin dut avoir une fière peur lorsque la dame, le tenant
par la main, disait à son mari qu'il avait voulu la séduire. Pour
mettre fin à ces propos, le roi se tourna vers madame Neïphile 5
et lui commanda de raconter sa nouvelle. Cette dame se mit à
sourire et débuta en ces termes :
« Ce ne serait pas une petite tâche que j'aurais à remplir,
mes aimables compagnes, si j'étais obligée de vous raconter
une nouvelle aussi agréable que celles dont on a fait aujourd'hui 10
le récit. Tout ce que je puis est de m'en tirer le moins mal qu'il
me sera possible. »
Il y eut autrefois à Florence un très riche négociant nommé
Henriet Berlinguier, entiché, comme c'est l'ordinaire des gens
de sa profession, de la manie de s'ennoblir par le mariage. Il épousa 15

dans cette vue, une femme de condition nommée madame Simone, qui n'était pas du tout son fait. Comme son commerce l'obligeait à faire de temps en temps des absences, sa femme, qui n'aimait pas à chômer, devint amoureuse d'un jeune homme nommé Robert, qui lui avait fait sa cour avant qu'elle ne se mariât. Elle agit avec si peu de précaution que son intrigue parvint à la connaissance de son mari, soit sur le rapport des voisins, soit d'après ses propres observations. Dès ce moment, il devint le plus jaloux de tous les hommes. Il ne s'absentait plus, sortait rarement de la maison et négligeait presque toutes ses affaires pour ne s'occuper que du soin de garder sa femme ; bref, il portait la vigilance si loin qu'il ne se mettait jamais au lit qu'elle ne fût couchée et endormie.

Dieu sait si madame Simone devait enrager d'une pareille contrainte, qui la mettait dans l'impossibilité de voir son amant. Elle ne put cependant se déterminer à l'oublier. Plus elle se trouvait gênée, plus elle désirait de le recevoir. Elle en cherchait continuellement les moyens ; et, après y avoir bien rêvé, elle crut en avoir trouvé un infaillible. Le voici :

La fenêtre de sa chambre donnait sur la route. Elle avait remarqué que son mari s'endormait difficilement, mais qu'une fois endormi, son sommeil était profond. D'après cette observation, elle pensa qu'elle pourrait quelquefois, vers minuit, aller ouvrir la porte à Robert et passer quelques heureux moments avec lui sans qu'on s'en doutât. Il ne s'agissait que de trouver un expédient pour être avertie de son arrivée, afin de ne pas le faire attendre à la porte où il pouvait être aperçu. L'amour, qui rend l'esprit inventif, lui en fournit un bien singulier. Elle imagina de pendre un fil à la fenêtre, qui, en passant le long du plancher, pour le soustraire à la vue de son mari, aboutirait à son lit. Elle en prévint son amant, et lui fit dire qu'elle l'attacherait tous les soirs, en se couchant, au gros doigt d'un de ses pieds, et qu'il n'aurait qu'à le tirer pour l'avertir qu'il était à la porte. Il fut convenu que si le jaloux était endormi, elle lâcherait le bout du fil et qu'elle irait aussitôt lui ouvrir la porte, et que, s'il ne l'était pas, elle le retirerait un peu vers elle, pour qu'il n'eût pas la peine d'attendre inutilement.

L'invention parut fort bonne à Robert, qui allait régulièrement toutes les nuits, à l'heure convenue, sous la fenêtre de sa maîtresse. Par ce moyen, il avait quelquefois le plaisir de la voir et quelquefois la douleur de s'en retourner comme il était venu. Ce manège durait depuis plusieurs mois, lorsqu'une nuit le mari

rencontra par hasard le fil en promenant ses pieds dans le lit ;
il y porta la main, et le trouvant attaché à l'orteil de sa femme,
il ne douta point qu'il n'y eût du mystère. Il en fut entièrement 60
convaincu quand il vit que ce fil aboutissait à la fenêtre et descen-
dait dans la rue.

Pour être mieux éclairci, il crut devoir ne rien précipiter.
C'est pourquoi il le détacha tout doucement du pied de sa femme
et le mit au sien pour voir ce qui arriverait. A peine l'y eut-il 65
attaché que Robert, arrivé au rendez-vous, se mit à le tirer.
Le mari le sentit ; mais soit qu'il ne fût pas bien noué, soit que le
galant eût tiré trop fort, il coula dans les mains de celui-ci, qui
jugea par ce signe qu'il devait attendre. Le mari, transporté
par son humeur jalouse, s'habille à la hâte, s'arme de son épée et 70
descend incontinent à la rue, dans le dessein d'égorger tout ce qu'il
rencontrerait. Robert, voyant qu'on ouvrait la porte avec bruit
et sans aucune précaution, soupçonne que ce pouvait être le mari,
et recula quelques pas. Il n'en douta plus lorsqu'il l'entendit,
et prit aussitôt la fuite. Henriet, qui ne manquait pas de courage, 75
quoique de race roturière, courut après lui l'épée à la main. Robert,
se voyant toujours poursuivi, tire la sienne et se met en garde ;
ils se battent et se chamaillent longtemps sans se faire aucun mal.

Madame Simone, qui s'était éveillée au bruit qu'avait fait
son mari en ouvrant la porte de la chambre, trouvant le fil coupé, 80
comprit que son intrigue était découverte, et jugea que son mari
avait couru après son amant. Ne sachant trop comment se tirer
d'un si mauvais pas, elle se lève en diligence, et prévoyant ce
qui devait arriver, elle imagine tout à coup un moyen pour se
disculper. Elle appelle sa servante, qui était dans sa confidence 85
et qui lui rendait tous les services qui dépendaient d'elle ; elle
fait si bien par ses prières et ses sollicitations, qu'elle l'engage à
se mettre à sa place dans son lit, et à souffrir patiemment, sans
se faire connaître, les coups que son mari pourrait lui donner,
avec promesse de l'en récompenser si bien, qu'elle aurait de quoi 90
vivre sans travailler. Cela fait, elle éteignit la lampe que le mari,
par jalousie, gardait allumée toute la nuit, et alla se cacher en
attendant le dénouement de la comédie.

Les voisins, éveillés par le bruit que faisaient dans la rue
Henriet et Robert, se mirent aux fenêtres et leur dirent des injures. 95
L'un et l'autre, craignant d'être reconnus, se séparèrent fort
fatigués sans s'être fait la moindre blessure. Le mari, furieux
de n'avoir pu ni tuer ni reconnaître son adversaire, n'eut pas
plus tôt mis le pied dans sa chambre, qu'il crie comme un enragé :

« Où es-tu, scélérate? Tu as eu beau éteindre la lumière, tu [100]
n'échapperas pas à mon juste courroux. » Il s'approche du lit,
et croyant se jeter sur la coupable, il assomme de coups la pauvre
servante, lui meurtrit les épaules, la tête, le visage, et finit
par lui couper les cheveux, lui disant des injures que l'honnêteté
ne me permet point de répéter. Cette misérable fille pleurait de [105]
tout son cœur, et quoique la douleur lui arrachât de temps en
temps cette exclamation : « *Hélas! je n'en puis plus* », sa voix
était si entremêlée de sanglots, et le jaloux si transporté, qu'il
ne reconnut point son erreur. Enfin, las de la battre et de l'injurier :
« Infâme! lui dit-il en se retirant, ne pense pas qu'après une [110]
action de cette nature, je te garde davantage chez moi. Je vais
tout conter à tes frères et les prier de te venir prendre. Ils feront
de toi ce qu'ils jugeront à propos. Pour moi, j'y renonce pour la
vie. »

Il ne fut pas plus tôt sorti, que madame Simone, qui avait [115]
tout entendu, rallume la lampe et trouve la servante dans l'état
le plus déplorable. Elle la consola de son mieux, la reconduisit dans
sa chambre, où elle lui donna toute ce qui était capable de la
soulager, en attendant qu'elle pût la faire traiter en cachette
par les médecins, et elle la récompensa si grassement qu'elle [120]
se fût laissée battre encore une fois au même prix. Après avoir
donné les soins nécessaires à cette pauvre créature, elle retourne
dans sa chambre, refait son lit à la hâte, s'habille fort proprement,
va s'asseoir au haut de l'escalier, et là se met à coudre avec autant
de tranquillité que s'il ne se fût rien passé. [125]

Cependant Henriet arrive à la maison des frères de sa femme.
Il heurte avec force; on lui ouvre, et, à sa voix, les trois frères
et leur mère se lèvent, et lui demandent le sujet de son arrivée
à une heure si indue. Il leur conte l'aventure d'un bout à l'autre;
et, pour leur faire voir qu'il ne disait rien que de vrai, il leur [130]
montre les cheveux qu'il croyait avoir coupés à sa femme, les
priant de l'aller prendre, et leur déclarant qu'il ne voulait plus
vivre avec elle. Les frères, outrés de ce qu'ils venaient d'entendre,
qu'ils ne croyaient que trop véritable, font allumer des torches
et se mettent en chemin pour aller trouver leur sœur dans la ferme [135]
résolution de lui faire un mauvais parti. Leur mère, qui pleurait
à chaudes larmes, voulut les suivre, priant tantôt l'un, tantôt
l'autre, d'examiner la chose par eux-mêmes, faisant entendre
que la jalousie d'Henriet pouvait lui avoir grossi les objets. « Qui
sait s'il n'a pas maltraité sa femme pour quelque autre sujet, [140]
et s'il ne voudrait pas se justifier aux dépens de son honneur?

Je connais les jaloux : tout leur paraît criminel, et les démarches les plus innocentes sont à leurs yeux autant d'infidélités. Je connais ma fille mieux que personne, puisque c'est moi qui l'ai nourrie et élevée, elle est incapable de ce dont son mari l'accuse, [145] et vous ne devez point, mes enfants, vous en rapporter à son seul témoignage. Défiez-vous d'un mari possédé du démon de la jalousie, et ne condamnez votre sœur qu'après avoir bien examiné toutes choses : vous verrez qu'il y a ici du plus ou du moins. »

Aussitôt que madame Simone entendit la troupe qui montait, [150] elle se mit à crier : « Qui est-ce?

— Tu le sauras bientôt, répondit un de ses frères d'un ton menaçant.

— Mon Dieu! s'écria-t-elle, que veut donc dire ceci? — Bonsoir, mes frères, dit-elle ensuite en les voyant paraître. Serait-il [155] arrivé quelque malheur, pour venir ici à l'heure qu'il est? »

Ses frères, surpris de la trouver si tranquille et dans son état ordinaire, modérèrent leur colère et l'interrogent sur les plaintes de son mari, l'exhortant de leur dire vrai, si elle ne veut s'exposer à un mauvais traitement de leur part. « Je ne sais en vérité ce que [160] vous voulez dire, leur répondit-elle avec un grand sang-froid, et j'ai de la peine à croire que mon mari se plaigne de moi. »

Berlinguier, qui croyait lui avoir défiguré le visage à coups de poing, la regardait dans l'attitude d'un homme ébahi et qui a perdu la raison. Il ne savait que dire ni que penser, la voyant [165] dans un état à lui persuader qu'il ne l'avait seulement pas touchée. On voyait sur le visage de la mère un mélange de surprise, d'attention et de joie. Les trois frères, non moins étonnés, lui ayant conté ce que son mari leur avait conté, sans oublier le fil, ni les coups dont il prétendait l'avoir assommée. « Est-il possible, [170] dit-elle en se tournant vers son mari, que vous trouviez du plaisir à vous forger des chimères pour me déshonorer en vous déshonorant vous-même? ou bien auriez-vous résolu de vous faire regarder comme un homme méchant et cruel, tandis que vous ne l'êtes pas? à quelle heure, je vous prie, avez-vous paru depuis hier au matin, [175] je ne dis pas devant moi, mais dans la maison? quand est-ce que vous m'avez battue? pour moi, je ne m'en souviens point.

— Comment, méchante femme, dit alors le mari, tu ne te souviens pas que nous nous sommes couchés ensemble hier au soir? ne suis-je pas rentré après avoir poursuivi ton galant? [180] ne t'ai-je point assommée de coups au point de te faire crier miséricorde? ne t'ai-je pas coupé les cheveux?

— Mais vous rêvez, mon pauvre mari, vous n'avez rien fait de

tout ce que vous dites-là, et, sans recourir à cent preuves que
je pourrais en donner, je vous prie, et prie tous ceux qui sont [185]
ici, d'examiner si je porte sur mon visage et sur mon corps la
moindre marque des coups dont vous prétendez m'avoir rouée.
Je ne crois pas que vous fussiez jamais assez hardi pour mettre
les mains sur moi. Ce n'est pas ainsi qu'on en use avec les femmes
de ma qualité; et si vous eussiez eu l'audace de l'entreprendre, [190]
vous ne devez pas douter que je ne vous eusse dévisagé. Mais,
pour achever de vous confondre, je veux bien vous prouver
que vous ne m'avez point coupé les cheveux »; là-dessus elle ôte
sa coiffe et montre sa chevelure dans son entier.

La mère et les frères de madame Simone tournèrent alors tout [195]
leur ressentiment sur Henriet. « Que signifie tout ceci? lui
dirent-ils; ce n'est pas ce que vous êtes venu nous conter. Vous
voilà confondu presqu'en tout point; il n'y a pas apparence que
vous puissiez vous tirer guère mieux du reste. » Henriet était si
déconcerté de ce qu'il voyait, que plus il voulait parler et plus [200]
il s'embrouillait : il ne savait qu'opposer aux raisons de sa femme.

La belle, profitant de son embarras : « Je vois bien, dit-elle à
ses frères, qu'il a voulu m'obliger à vous faire le détail de sa vie
débauchée. Je suis très persuadée qu'il a fait tout ce qu'il vous a dit
mais voici comme je l'entends. Vous saurez que cet homme auquel [205]
vous m'avez mariée pour mon malheur, qui se dit marchand,
qui veut passer pour tel, et qui, par là même, devrait être plus
modeste qu'un religieux et plus décent qu'une jeune fille, vous
saurez, dis-je, qu'il ne passe pas de jour sans s'enivrer : qu'en
sortant de la taverne, il court chez les filles de joie, tantôt chez [210]
l'une, tantôt chez l'autre, et me fait veiller jusqu'à minuit et
quelquefois jusqu'au matin, pour l'attendre, comme vous le voyez
aujourd'hui. Je pense qu'étant ivre, il aura été coucher chez
une de ses maîtresses en titre, au pied de laquelle il aura trouvé
le fil dont il vous a parlé; qu'il aura poursuivi quelque rival; [215]
que, n'ayant pu l'immoler à sa jalousie, il sera retourné sur ses pas
et aura déchargé sa fureur sur la prostituée qu'il entretient et
à laquelle il a coupé les cheveux. J'imagine que, n'ayant pas
encore achevé de cuver son vin, il a cru sans doute avoir fait
tout cela chez lui et à sa femme. Examinez sa figure, il vous sera [220]
aisé de voir qu'il est encore à demi saoul. Mais quelque injuste qu'il
se soit montré à mon égard, quelque chose qu'il ait pu vous dire
de moi, je vous prie de lui pardonner comme je lui pardonne, et
de le traiter comme un homme qui n'a pas son bon sens. Le
mépris est la punition qu'il mérite. » [225]

« Par la foi de Dieu, ma fille, s'écrie alors la mère de madame Simone, les yeux étincelants de colère, les choses de cette nature peuvent-elles se pardonner ? On devrait éventrer ce malheureux, cet infâme, cet ingrat que nous avons tiré de la poussière, et qui ne méritait pas une femme telle que toi. S'il t'avait surprise 230 couchée avec un galant, qu'aurait-il donc fait de plus que ce qu'il avait intention de te faire ? Le barbare ! tu n'es pas faite pour être victime de la mauvaise humeur et des vices d'un marchand de poires cuites. Ces sortes de gens venus du village en sabots, et vêtus comme des ramoneurs, n'ont pas plus tôt gagné trois sous 235 qu'ils veulent s'allier aux plus illustres maisons. Ils font faire ensuite des armes, et on les entend parler de leurs ancêtres, comme s'ils avaient oublié d'où ils sortent. Si vos frères m'en avaient voulu croire, ma fille, vous auriez été mariée à un des enfants de la famille du comte de Gui, et vous n'auriez jamais épousé 240 ce faquin, qui, par reconnaissance pour les bontés qu'on a eues pour lui, va crier à minuit que vous êtes une femme de mauvaise vie, tandis que je n'en connais pas de plus sage et de plus honnête dans la ville. Mais par la foi de Dieu ! si l'on voulait m'en croire, on le traiterait de manière à la mettre dans l'impossibilité de te 245 manquer une seconde fois. Mes enfants, continua-t-elle, je vous le disais bien, que votre sœur ne pouvait être coupable : vous avez entendu pourtant ce que ce petit marchand en a dit. A votre place je l'étoufferais sur l'heure, et je croirais faire une bonne œuvre ; elle serait déjà même consommée si le Ciel m'eût fait 250 homme. Oui, tu as beau me regarder, ajouta-t-elle en s'adressant à son gendre, je le ferais comme je le dis si je n'étais pas femme. »

Les frères non moins irrités que leur mère, mais moins violents, se contentèrent d'accabler Berlinguier d'injures et de menaces. Ils finirent par lui dire qu'il lui pardonnaient pour cette fois ; 255 mais que s'il lui arrivait jamais de dire du mal de sa femme et que cela parvînt à leur connaissance, ils lui feraient passer un mauvais quart d'heure ; puis ils se retirèrent.

Henriet Berlinguier demeura tout stupéfait. Il avait l'air d'un homme hébété, et ne savait si tout ce qu'il avait fait était 260 véritablement ou s'il l'avait rêvé.

Dès ce jour, il laissa toute liberté à sa femme, sans s'inquiéter de sa conduite. Madame Simone fut assez prudente pour ne plus s'exposer à un pareil danger, c'est-à-dire qu'elle profita de la liberté que lui laissait son mari pour recevoir son amant et 265 faire tout ce qu'il lui plairait, de manière à ne plus donner prise contre elle.

DOSSIER PÉDAGOGIQUE

1. « La Jalousie du Barbouillé » et « George Dandin »

Nous avons vu, au cours de la pièce, comment Molière utilise le vieux schéma de farce qu'il avait déjà mis en scène dans *la Jalousie du Barbouillé*. Mais avec *George Dandin* la psychologie des personnages s'affine, la farce s'élève parfois au niveau de la comédie de mœurs, et la construction dramatique permet de nuancer les réactions du personnage principal.

— La psychologie des personnages. A côté de George Dandin, auquel nous reviendrons plus loin, nous trouvons des personnages vivants, et non des marionnettes comme le Barbouillé ou Gorgibus, père d'Angélique dans *la Jalousie du Barbouillé*. Si Clitandre n'est qu'un fat, Angélique, perverse et moralisante à la fois, prend un relief particulier : elle défend ses droits au plaisir, mais se fait aussi l'apologiste d'une philosophie féministe dont on entend les échos plaisants dans les paroles de Claudine; la servante d'Angélique en est en quelque sorte la réplique populaire, dont la vivacité et la finesse éblouissent Lubin, lourd et étourdi, mais peut-être moins sot que ses maladresses pourraient le laisser croire.

Quant aux Sotenville, ils sont magistralement campés, surtout si on les compare au plat Gorgibus, leur homologue de la farce. Ces hobereaux prétentieux forment un couple ridicule qui dissimule sa médiocrité et sa sottise derrière une parfaite connaissance du code social.

— La comédie de mœurs. Ce sont d'ailleurs les Sotenville qui permettent à Molière de hausser le ton de la farce jusqu'à la comédie de mœurs. « Par le théâtre, Molière rend compte de l'état social, confrontant aux dépens l'une de l'autre la noblesse ruinée et asservie et la bourgeoisie opulente. Elles convoitent dans un mépris réciproque l'une la réalité des richesses, l'autre la formalité des titres. Molière n'a fait que saisir au vol une occasion de succès, en réussissant à raviver le vieux cliché de la jalousie du Barbouillé par le thème actuel de la mésalliance » (Alfred Simon, *Molière par lui-même*, Paris, Le Seuil, 1965, p. 64).

Les contemporains eux-mêmes ont été sensibles à l'accent de vérité dans la peinture des mœurs. C'est ainsi que FÉLIBIEN affirme, dans la relation de la Fête de Versailles (Cf. Appendice II) : « Quand il dépeint l'humeur et la manière de faire de certains nobles campagnards, il ne forme point de traits qui n'expriment parfaitement leur véritable image (voir p. 103, l. 190-192). »

— **La construction dramatique** de l'œuvre met particulièrement en relief les différences et les ressemblances entre *la Jalousie du Barbouillé* et *George Dandin*. Dans *le Médecin malgré lui*, Molière avait utilisé trois farces différentes pour nourrir ses trois actes : c'est le procédé bien connu de la « contamination ». Dans notre pièce, il se contente de reprendre trois fois de suite le même schéma (voir notre introduction, p. 22). « Délaissant le procédé classique de la contamination, il adopte celui de la répétition, qui renforce le comique et rend le travail plus rapide. Avec *la Jalousie*, il fait son troisième acte ; il calque le premier et le deuxième sur le troisième [...]. Le mécanisme joue trois fois : ce sont les trois confusions de George Dandin. Le comique naît de la construction même : c'est un comique de répétition » (René Bray, *op. cit.*, p. 323).

Mais la répétition des subterfuges et de la confusion de Dandin n'a pas seulement un effet comique : elle permet à Molière de varier l'intensité dramatique et de nuancer la psychologie de Dandin. De simple mari dupé dans *la Jalousie du Barbouillé*, le personnage devient capable non seulement de colère, mais aussi de dégoût et presque de désespoir. A la fin du premier acte, il doit faire des excuses à Clitandre ; à la fin du deuxième il est humilié par Angélique, devant qui il doit se mettre à genoux à la fin du troisième acte. On croirait que Molière s'acharne sur Dandin pour le ramener constamment à la position d'un coupable de plus en plus écrasé par les événements.

2. « George Dandin », comédie ou drame ?

Le passage de la farce à la comédie semble donc avoir donné quelque humanité au personnage de mari bafoué, et par conséquent avoir accentué l'impression pénible produite par le spectacle d'un homme au désespoir. C'est bien ainsi que les Romantiques ont interprété la pièce. Pour MICHELET (*Histoire de France*, tome XIII), « George Dandin est douloureux » ; et certains acteurs ont accentué les plaintes de l'homme humilié afin de donner au rôle une certaine ampleur dramatique.

Mais il est sûr qu'une telle interprétation trahit le sens profond de l'œuvre. Les ennuis de George Dandin ne figurent ni les soucis domestiques de Molière, ni les difficultés sociales d'un homme de condition modeste aux prises avec d'insolents marquis. D'ailleurs, on a fait à juste titre remarquer que «le xviie siècle n'était guère sensible aux prétendus malheurs du cocuage [...]. Quant à la victime, elle ne sort jamais du ridicule. Dandin aime-t-il sa femme? Non point, ce qui est atteint chez lui, c'est au plus son *honneur*; et il regrette surtout d'avoir mal employé ses écus [...]. Pas de pitié pour les imbéciles prétentieux » (René Bray, *op. cit.*, p. 325).

Nous avons observé, tout au long de l'œuvre, que les procédés de la farce étaient encore assez bien représentés dans la comédie pour que le rire jaillît à tout instant. Pourtant, le xxe siècle, tout en se refusant à suivre les Romantiques dans leur interprétation pessimiste de l'œuvre, reconnaît au comique un caractère quelque peu grinçant :

« ...le trait vraiment intéressant qui caractérise *George Dandin*, c'est la qualité nouvelle de son rire. S'il était permis d'employer un mot qui forme anachronisme, on dirait que cette pièce est une comédie rosse. Qu'on observe les personnages. George Dandin est grotesque et ne fait pas pitié, car on le devine sans amour, médiocre et vaniteux. Mais Angélique, Clitandre, les Sotenville sont pires. Angélique, on en peut être sûr, ne tardera pas à trahir la chasteté qui est de tradition dans sa vénérable famille. La sottise de ses père et mère atteint des dimensions grandioses. Clitandre est un galant sans moralité, qui ment sans scrupule et qui séduit à froid une petite sotte. Comparé aux œuvres précédentes de l'écrivain, *George Dandin* rend un son nouveau. Une *École des femmes* où Horace serait un fourbe, et Agnès une vicieuse » (A. Adam, *Histoire de la littérature française au XVIIe siècle*, t. III, 1952).

George Dandin serait ainsi une véritable comédie de la dérision, où aucun personnage ne serait épargné, et surtout pas le personnage principal.

« Le poncif moderne du *pauvre type* permet d'en mieux mesurer la portée. La dérision atteint le pauvre type de l'extérieur et de l'intérieur. Bafoué par lui-même et par le monde, il tourne à son désavantage cela même qui sauve les autres. Il n'a rien et il n'est rien. Cet *aliéné* total, l'envers du héros et des princes déchus, ignore l'ultime consolation de rester 'roi de ses douleurs' » (A. Simon, *op. cit.*, p. 62).

3. Tendances de la critique contemporaine

Dans ses *Études sur le temps humain* (Paris, Plon, 1949), GEORGES POULET constate que le processus de répétition, dont nous parlons ci-dessus, domine le « mouvement temporel dans la pièce moliéresque » (tome 1, p. 87). Poulet oppose donc au temps vécu la durée répétitive de la comédie qui domine le tragique en faisant passer le personnage de l'actuel à l'intemporel. Cette analyse peut s'appliquer à *George Dandin*, à cela près toutefois que l'on ne peut conclure aussi nettement à la disparition du tragique.

Aux questions quelque peu vaines sur la part du drame dans les comédies de Molière, la critique actuelle préfère substituer une réflexion sur les structures du texte. Ainsi Robert Garapon constate-t-il dans les *Cahiers de l'Association internationale des Études françaises* (no 16, p. 203) : « D'une façon assez surprenante, l'œuvre de Molière a suscité beaucoup plus d'études historiques et d'interprétation générale que de recherches attentives portant sur le texte même des comédies. » L'ouvrage de Pierre Larthomas sur *Le Langage dramatique, sa nature, ses procédés* (Paris, Armand Colin, 1972) répond à cette préoccupation, analysant notamment l'expression des inégalités sociales à travers le langage des personnages de *George Dandin* : « George Dandin, riche paysan, ne parle pas paysan, ce que fait Lubin qui est à son service; ce n'est pas un rustre, mais ses beaux-parents ont tôt fait de lui faire remarquer qu'il ne connaît pas les usages : Madame de Sotenville peut dire 'mon gendre' mais le gendre ne peut pas dire 'ma belle-mère' » (p. 429).

La critique marxiste trouve dans *George Dandin* un tel avant-goût de la lutte des classes, que Bernard Dort peut rapprocher Molière de Bertold Brecht. « Dandin, paysan enrichi, a épousé une 'demoiselle'. Ce faisant, il a trahi sa classe, il s'est trahi lui-même en tant que bourgeois. Toute la pièce nous en montre les suites. Rien de plus, rien de moins. » (*Théâtre public, 1953-1966*, Paris, Le Seuil 1967, p. 30). La pièce est ainsi ramenée au fonctionnement des oppositions sociales et devient à la limite un exemple pour une démonstration sociologique et politique.

Autre perspective avec la psychocritique : Charles Mauron, dans un court chapitre de son étude *Des métaphores obsédantes au mythe personnel* (Paris, José Corti, 1962, chapitre XVII), bâtit une hypothèse sur l'évolution créatrice de Molière. Jusqu'en 1663, le thème de la jalousie serait prédominant, remplacé dans l'étape suivante par ce que Mauron appelle « le cycle de la séduction perverse » (p. 277), la perversion étant « la recherche amorale du plaisir »; la dernière étape, à partir de 1668-1669, est celle du « narcissisme », marquée par « la prédominance de l'intérêt pour soi ». Dans cette interprétation, *George Dandin* prend une grande importance : « le rire perd en amour ce qu'il gagne en cruauté. L'image de la dernière 'complaisance', c'est-à-dire de George Dandin ôtant son bonnet et ployant les genoux, met fin à tout conflit amoureux. La série des jaloux et des cocus s'arrête là » (p. 280). A partir de cette humiliation du héros, il reste à Molière l'illustration du repliement narcissique à travers Harpagon, M. Jourdain et Argan : « la hantise amoureuse [...] s'est muée en une hantise narcissique, ahurie et perdant la tête devant la réalité, cognant partout comme un bourdon » (p. 280).

Cette application systématique de la psychanalyse au texte de Molière fait l'objet de critiques vigoureuses. Ainsi RENÉ POMMIER, dans *Assez décodé* (Paris, Guy Roblot, 1978), accuse MAURON de « faire bon marché des textes et de ramener ses marottes contre vents et marées » (p. 101); selon POMMIER, MAURON applique son système sans référence au texte, proposant « une lecture » nouvelle sans se soucier des intentions maintes fois affirmées par l'auteur lui-même.

4. Mises en scène et iconographie

La mise en scène classique (voir p. 47), fidèle à l'intention de Molière et du XVIIe siècle, ne vise qu'à faire rire du personnage ridicule de George Dandin, mari trompé. L'interprétation de la Compagnie ROGER PLANCHON au Théâtre des Champs-Élysées en 1961 (p. 66-67) met au contraire l'accent sur le réalisme social : personne n'est plus grotesque dans la comédie, même pas les Sotenville. Dans la mise en scène de JEAN-PAUL ROUSSILLON (p. 25) à la Comédie-Française en 1970, avec Robert Hirsch dans le rôle de George Dandin (p. 48 et p. 86), le rire est presque complètement banni de la pièce : « Qu'on ne dise point que cela peut être joué autrement, écrit à ce propos FRANÇOIS RÉGIS BASTIDE (*Au théâtre certains soirs*, *Chroniques*, Paris, Le Seuil, 1972, p. 71); Molière fait crier à Dandin : 'Je désespère'. Ce spectacle montre le désespoir. Un point c'est tout. »

Ceux qui défendent la tradition moliéresque ne peuvent accepter ces renouvellements hardis : « Comment ne pas s'étonner de constater que sous prétexte de rajeunir un texte qui pourtant a si peu vieilli, écrit RENÉ POMMIER à propos de *Tartuffe* (*op. cit.*, p. 146), un metteur en scène se permet de le traiter de façon aussi étrange, de le trahir et de le travestir d'une manière aussi extravagante? »

TABLE DES MATIÈRES

Pages

Le théâtre au XVIIe siècle 3

La vie de Molière et son époque 6

Molière : l'homme 14

Molière : ses principes 15

Molière : son œuvre 17

Bibliographie. . . . . 13 et 18

La comédie de *George Dandin* : circonstances de la représentation; les sources de *George Dandin* 21

Schéma de la comédie 26

Les personnages 28

Premier acte 29

Deuxième acte 51

Troisième acte 68

Appendice :

   I. *Le Grand Divertissement royal de Versailles* 87

   II. *Relation de la Fête de Versailles* 97

   III. *L'Ystoire des Sept Sages* 107

   IV. *Décaméron*, VIIe Journée

      4. *Le Jaloux dupé* 111

      8. *La Rouerie de dame Simone* 115

Dossier pédagogique : *La Jalousie du Barbouillé* et *George Dandin* (la psychologie des personnages; la comédie de mœurs; la construction dramatique); *George Dandin*, comédie ou drame? Tendances de la critique contemporaine; mises en scène et iconographie. 123

ILLUSTRATIONS 2, 25, 47, 48, 66, 67, 97, 98, 107

Imprimerie Jean-Lamour, 54320 Maxéville
Dépôt légal : mai 1992 — Dépôt légal 1re édition : 1968
Imprimé en France.